LEE EUN HYE
SPECIAL EDITION

JumP Tree A$^+$

이은혜

LEE EUN HYE
SPECIAL EDITION

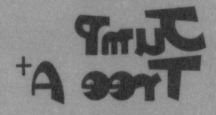

이은혜

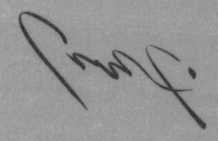

JumP
Tree A⁺

LEE EUN HYE SPECIAL EDITION

Jump Tree A$^+$ 2권

Episode.18

자!
드시와요!

고마워!

가까이
스칠 때마다
신경이 쓰여….

그런데 지금은 너무 무겁다. 강함과 무거움은 다른 것이야.

…잠시 쉬고 리스트의 에튀드 2번을 해보자.

똑똑

간식 타임!

평소엔 코빼기도 한 번 안 배는 놈이 휘경이 오는 날은 무단 침입에다 냉장고 털이까지!

삼촌 좋아하는 참치 샌드위치랑 콜라 준비했는데 왜 그러세요!

Coke는 휘경이 취향! 나는 칡차 타줘!

어휴~, 빵이랑 칡차라니~! 무슨 맛이야? 취향도 별나요~!

크~! 얼마나 고소한데!! 마셔보렴~.

먹고 해.
피아노 치면
배고프다며.
집중해서.

별로….

열심히
안 했구나!

…아파!

손이 무겁지?
오랜만에
하니까….

손이
무거운 건….

마음이
무겁기
때문이지.

뭐야…, 할머니 같은 얼굴을 하고.

넌 걱정이 너무 많아. 허락 없이 사지 말 것! 안 팔아!

잘났다! 줄줄 흘리고 다니는 게 누군데?

다른 선배한테는 그런 말투 쓰지 마라.

어 머…

오빠야말로 순진한 애들한테 조심해줘.

특히 혜진이한테 심하다는 생각 들어. 그앤 순진하다구. 나랑은 달라!

색은 달라도 똑같은 철판 아니었냐?

혜진이 주먹이 정말 로봇 강편치였던 게로군!

미숙아들이 로봇 놀이를 하는 법이지.

무슨 생각을 하고 있나
그대의 말을 들어보면은
그런 건 지금
걱정할 게 아니지.
지금은 바로
지금일 뿐.

로큰롤!
헤비메탈!
재즈!
클래식!
펑키 블루스!

어떤 리듬에도
우리는 춤추고 싶네!
로큰롤 댄스!

예~! 대단하군요!!
고교 밴드 경연 때마다
좋은 성과를 올리고 있는
전통 있는 Rock 그룹이죠!
정말 수고 많으셨습니다,
해담 JTA 여러분!

그럼 또 얘기를 시작해볼까요? 일일 리포터 이수경 양!

팬레터, 연애편지, 남학생들의 열렬한 공세를 받고 있을 텐데….

어때요? 특별히 관심을 끄는 남학생이 있었나요? 인기 관리 하느라 방송용 멘트 마시고~ 솔직히 답해봐요!

요즘은 진실 대담이 인기 비결인 거 아시죠?

예….

자, 이수경 양의 마음을 사로잡은 기사가 있을까요?

불쌍한 동료들! 학교가 온통 축제 분위기인데 책과 씨름이라니….

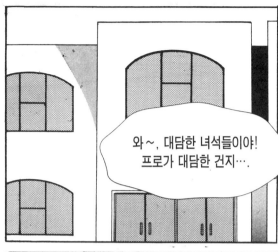

와~, 대담한 녀석들이야! 프로가 대담한 건지….

게다가 경쟁률 높이는 웬수까지!

나가봐, 면회!

민휘경, 대단하구나!

알현하기가
이리 어려울 줄이야.
여긴 너무 벅찬 장소라
힘들었어.

잘 있었….

책 냄새….
종이 가루 때문에
목이 메인다.

다시 콩나물
다듬느라 손도
나긋해졌구나?
가벼운데?

여기 있는 줄
어떻게
알았어?

내 웨딩마치 쳐줄
연습하고 있다기에
잘 부탁한다는 말
미리 해두려고 왔지.
지금 사례를 하….

…오늘은
레슨이 있어
곤란해.

그래?

물론 먼저 고백할 수도 있지만 상대의 마음이 어느 정도 기울어질 때까지 기다려요. 상처 입는 건 솔직히 두렵거든요.

수경 양을 울리는 왕자가 누굴까 정~말 궁금하네요!

기성세대의 파쇼는 오히려 청소년들과의 소통을 단절 시킵니다.

우리가 살아가면서 수없이 만난 이성 친구들, 이성 자체만으로 매력적인 이성! 미성년자란 이유로 감정을 유예시킬 순 없습니다.

가장 아름다운 감정을 배우는 일이고, 감성과 인간 사회를 체험하죠. 몰두한다는 자체만으로 의미가 있습니다.

짝 짝

여러분은 젊습니다. 평생 추억할 풋사랑을 아파하며 끌어안은 만큼 눈부신 보석을 갖게 되겠죠?

와아아아...

짝 짝 짝

오네리 만남

여러분 마음속에 정직이란 기준을 놓고 진실을 사냥한다면 얼마든지 사랑해도 좋지 않을까요?

여러분 마음속에 정직이란 기준을 놓고 진실을 사냥한다면 얼마든지 사랑해도 좋지 않을까요?

곰보다야 낫지!

재가 얼마나 여운데!

엄마! 딸을 그렇게 전락시키고 싶으세요?

누가 널더러 뭐랬어?

원래가 더 재미있었는데. 굉장히 많이 잘려 나갔다!

안녕히 계십시오, 여러분!

승주 오빠 화면으로 보니까 CF모델 같더라.

난 어제 TV 보다 벼락 맞았다는! 하필 그때 성적표를 들고 들어온 거야, 울 엄마!

오늘부터 JTA study 시간에 나가야겠어.

혜진아, 같이 안 갈래? 야외 교실에서 한다는데….

어머! 너희들 어�쩐 일이냐?

어…! 혜진이 왔구나?

공부 좀 하겠다는데 뭘 신기하게 보세요?

공부 이외의 소리는 절대 금지~, 알지?

혜진이는 이쪽으로 와. 너희 붙어 있으면 또 잡담이나 할 거야!

Q. 숫자는 2진법으로 나타내진 것이다.
답도 2진법으로 나타내라.

$10x^{11}+100x^{10}+111x-110$
2진법으로 먼저

계수 10, 1001, 111, 110 및 지수 11, 10은 10진법으로 고쳐 인수분해 해놓는 거야.

10, 11, 1001, 111, 110은 10진법으로 2, 3, 9, 7, 6이니까—

함수 f
$f(x)=2x+9x+1x-6$으로 놓으면 $x-2=0$이므로 함수 $f(x)=x+2$인 인수를 갖게 되지.

그런데 $f(x)$를 $x+2$로 나눈 몫은 $2x+5x-3$ 이니까,

함수 $f(x)=$
$(x+2)(2x+5x-3)=$
$(x+2)(x+3)(2x-1)$

숫자를 다시
2진법으로 나타내면
$f(x) = (x+10)(x+11)$
$(10x-1)$가
답이 되겠지.

아아…,
쉽지가 않아요.
설명을 들으면
알겠는데….

괴물 같아!

소곤
소곤

소곤

으흠一

놀자먹자판
아니야! 여긴!

다 닥…

따 다 다 다 다 다 다!

혜진이도
이거 풀어봐.
똑같은 형식이야.

악—!
이렇게
어려운 걸!

와—!
오늘은 열기가
대단한데?
앉을 자리도
없네?

안녕!

아…,
안녕하세요!

혜진이
개인 교습이야?
실력파의 비애다!
김승주!

…태준 오빠,

옆에 앉으면
어떡하지?

태준아!
네 책들
여기 있다.

오오,
고맙습니다!
정원이 덕에
자리 걱정은
없다니까!

너 단어장
메모 잘 돼
있더라.

문제집
다 봤어?
바꿔 보자.

아아,
갖고 왔지.
여기!

…난 지금
무슨 생각을
하고 있는 거지?
모두가 열심히
공부하는데…

실망스럽다!
유혜진…
어울리지 않아!
넌 자격이 없어!

혜진아?

내일 봐!

…혜진아!

승주 오빠!

너…,
뭐 해, 여기서…?
집에 간 거
아니었어?

가는 중이야.
…공부는 다
끝났어요?

무슨 일 있니?
아까 왜 그냥…
가버렸어?

줄 밖으로
떨어져 나온 느낌,
갑자기 무인도에
홀로 버려진 것
같았어요.

초라해….
너무 부끄럽고
평범 이하인 내가
실망스러워요.

실망은 기대가 어긋났을 때 생기는 거야. 너의 기대는 뭐였는데?

뭔가… 특별해지고 싶었는지도 모르지….

그냥… 처음으로 돌아갔음 좋겠어. 아주 평범하게.

오빠, 내 헛소리 귀담아듣지 말아. 내가 들어도 횡설수설이다.

…넌 특별해.

Episode.19

단지 그것뿐이야?
왠지… 기대가
무너진다, 오빠.

혜진이, 놀라운
성장인데?
내 마음 읽었어?

그렇게
나오니까
또 헷갈리는데?

…또 제자리.
꼭 머뭇거리는
만큼이야.

삐거
거
리
리

…가야겠어.

리

네가 알아들을 수
없는 말로,
맞출 수 없는 고주파로
너를 귀먹게 해놓고
기대하는 아이러니….

내가 오빠
데려다주고
가는 거 같다.
후후….

괜찮겠어?

데려다줄까?

걱정 말고
오빠나
잘 들어가.

늦었다, 많이….

혜진아….

집에
잘 도착했는지
전화….

보고
하라구?

Yes, sir!
전화해줄게.

당사자가
조르기도 전에…
스스로 에스코트한다고
구걸하는 꼴이라니~.

조를 게 없지~.
알아서 잘해주는데.
오빠는 AUTO잖아?
하하하….

아주 쉬운 단어
하나로 설명할 수
있는 것을….

대단하구나!
긴장과 이완의 박자를
본능적으로
터득하고 있는 것
같다.

혜진아….

갈게!

어째서 난…
네게
바로 가는
길에
서지 못할까….

천하의 경아도
바람을
맞는구나…

조르르…

그것도
면전에서…
야~, 통쾌하다.
하하하~.

봐, 아직도
그 자식이
깔끔하다고
생각해?

네게 말을 한
내가 경솔했다…

갈게.

내 기분이
지금 어떤 줄
알아?

그 자식에게
키스라도
해주고 싶은
심정이야.

그 자식이 말하는
명분이 생겼거든.
녀석이 제공한
찬스 아니겠어?

너!

경고하는데,
허튼 수 부리면
가만두지 않아.

오우!
섬뜩한데?

8,900원입니다.
10,000원
받았습니다.

어? 저 꼬마
휘경이 쫄병
아냐?

어머!
경아 언니.

웬일이야?
이곳까지 물건을
사러온 건
아닐 테고.

삼촌 댁에
가는 길이에요.

야! 꼬마!
안뇽!

누구…?
동행이에요,
언니?

기억력이
형편 없구나?

어서 가봐.
언제 한번
보자.

빵!
빵!
빵!
빵!

이지현, 빨리 안 와?
뭐가 그리 오래 걸려!

저희 삼촌이에요.
마흔인데
혼자인 이유 알겠죠?
어휴~, 저 성미!

너 또 휘경이 먹이만
잔뜩 산 것 같은데?
이거 이거…
칡차 떨어졌는데.

비밀 레슨을 하든가
휘경이를 딴 데
보내든가 해야지
눈꼴 시어서
못 봐주겠다.

삼촌!

정말 노총각
히스테리야!
어휴~~!

지현이는 휘경이를
좋아한대요오~~.
얼레리 꼴레리~

저기
아는 사람도
있단 말이에요,
삼촌~~~!

오늘 전화 불나는 줄 알았다. 유선이, 지현이, 승주, 매희 등등….

…주무세요.

갑자기 인기가 급상승한 것은 아닐 테고. 너…, 무슨 일 저질렀냐?

왜 맥이 없어? 그래 갖고 내일 심부름 할 기력이 있겠냐?

가벼운 것 하나 들고 가는 건데 뭐. 학교 끝나는 길에 멀지도 않고….

괜히 히스테리 부리지 말고. 가뜩이나 밖에서 고생하는 사람 긁지 마라.

아이~, 정말~~! 그렇게 걱정되면 엄마가 직접 오빠한테 가!!

아무튼…
걱정해줘서
고마워. 응.

그래, 전화했어.
…태림이는 내일
만나서 얘기하지 뭐.
걔는 남자애잖아.
걔네 부모님이
걱정하시지.

하하하~!
너야 태림이
주인이니까 괜찮지.
으아…, 아냐!
미안! 농담!

응—!
잘 자.
안녕.

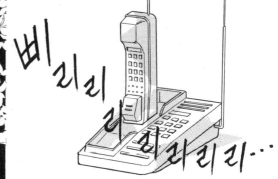

삐리리
리
리리리…

여보세요?

승주 오빠?
전화할 곳이
좀 있었어요.
미안….

무슨 통화가
그렇게 길어?
고장인 줄
알았어.

승주 오빠,
전화 감이 멀고
잡음이 많아요.
잘 안 들려.

내가 다시
걸어볼게.
코드나 확인해.

응.

삑 삑

삑

삑

삑

뚝 …뚝…뚝…

뚝…뚝…

여보세요?

된 것 같아!
잡음이 없어졌어,
승주 오빠!

오빠두 참~!
내가 전화한다
했잖아.
그걸 못 참고….

…여보세요?
승주 오빠?

승주가
아니어서
미안—.

또 왔냐,
선우태림?
아예 치마 입고
책상 옮겨 와라.

태림이
우리 반 아니었니?
매일 얼굴 보여서
그렇게 느껴진다, 애!

그래!

그래!

하하~.
모두 나를 이렇게
흠모하는데
어떡하냐.

흥보는 줄도
모르고
좋아하는군,
바보!

안녕!

야
호!

오늘이 고3
백일주 마시는
날이잖아!

와…, 이제
백일밖에
안 남았네?

휘경 형
옆에 끼어서
한 잔 얻어마실까?
쩝쩝…

쯧….
생각하는 거
하고는….

독한 술 마실수록 효과 크다는데 지금부터 마시면 3학년까지 세 번! 확실하게 붙는 거 아니냐!

의지박약!

악! 뭐가 잘못됐다는 거야!

어…? 누님들!

쟤 또 왜 엉기는 거야?

누니임! 좋은 날씨지요? 여행하기 끝내주는 계절 아니겠어요? 효효효~.

애 좀 말려줘!
유선아.

수학여행
다녀오는 길에
선물 사 오라고
이런다, 글쎄~.

어울리지 않는
재롱 피우는
이유가 뭐냐?
치타!

속물근성!

때린 자리
또 때리지 않기로
했잖아!

그렇지~.
너희들인 줄 알았어!
시끌시끌해서 보면
꼭 이 얼굴들
이라니까…

안녕하세요?

수경이 굉장히
열심이라며?
JTA 스터디 열기
대단하던데!!!

참견 말고 와!
물 떠다준다며!

나중에 봐요!

어때?
공부하는 데
도움이
되고 있어?

CF 때문에
결석이 꽤 많았어요.
수학은 거의 처음부터
하고 있는걸요.

수학은 특히
승주 전공이지요!
수경이도 수학 박사
되는 거 아니야?
하하하.

당동뎅동...

아...
휴식시간
끝이다...

벌써 점심시간
끝났네. 자...,
들어갑시다.

스터디
나올 거지,
혜진이?

예?
아...,
오늘은 일이
있어요.

아..., 그럼...
나중에 또 보자.

무슨 일인데?

오빠한테
심부름 가요.
엄마 반찬통!

내일은
나올 거지?

그럼요.

그래, 들어가.
수경이는
이따 보자.

예‥

안녕히 가셔요.

안녕….

뭐야.
뭔가 웃기는
분위기다.

유혜진ㅡ.

파사삭…

언제…
시간 좀 내줄래?
네가 좋은 시간
정해서….

청승이야! 청승! 집 놔두고 뭐냐고? 내가 도시락 아줌마야? 반찬이나 나르고!

집에서 다니면 연극 못해?

혜진이 왔구나. 언제쯤이면 나 좀 예쁘게 봐주겠니?

오빠!

…미안해. 안 그런다고 엄마랑 약속했는데 오빠 얼굴 보니까 화가 나는 거 있지.

특히
핼쑥해 보이거나
하는 날이면
더 그래….

짜식!

언제 한가해?
오빠… 나랑
얘기할 시간
없는 거야?

무슨 일 있어?
얘기해봐,
혜진아.

그런 거 싫어!
시간 정해서 얘기 시작!
이런 식으로는 아무 말도
하고 싶지 않아.
그런 거 말고…
오빠, 난…

혜진아.

나… 요즘
머리가 무거워.
두려울 정도야.
부숴질까 봐….

그거야 원래
돌이었으니까
그렇지.

어?
어쩐 일이야?

또!

백일주
마시려고
들렀는데
타이밍이
좋지 않네요.

나 갈게,
오빠.

기다려,
지하철까지
데려다줄게.

별로
쓸데없는 곳에
용감하구나?
아무리 얼굴이
호신술이라지만.

Episode.20

휘경이 하는 말이
소음으로 들리는 건
수신자의 체널에
문제가 있는 거야,
송신 사고야?

나의 전파는
언제나 고감도 FM이죠.
안테나 무뎌 못 잡는 건
수신자의 책임일 테고,
구제불능 난청 지역이
아닌 다음에야…

그렇게 난해한 말 이해 못해요.
언어장애가 와서 말이죠.
한국말인데 어찜 그리
이국적일까…

기분 풀자고 들어와서는
계속이야?
그만들 끝내줘.

그래요!
분위기 흐리지 맙시다!
오늘은 여러가지
의미 있는 날인데.

…무슨 날인데요?

건전하게
휘경이 백일주 한잔,
현목 씨 타이틀 롤
결정된 것에 대한
축배 한잔!

완전히
편승하기로
한 겁니까?

글쎄…,
난 아직….

문짝 만들겠다고
기둥 뽑으면 안 된다고~.
재능 썩히지 말아요~.

오빠…,
그런 말 하지
않았잖아.
내게….

별것 아니야···.
자! 주스 마셔.
건배하자.

건배!

오빠···,
어디 있어?

보이지 않아···.
갑자기 아득해지면
어떡해···,
난···.

아!

혜진아!

$$M = 2^m + \frac{2^m - 2^{-m}}{2^m} \text{ 일때 } 4^m - 4^{-m} \text{을 } M \text{으로 표시하여라}$$
$$(\text{단, } M \neq \pm 1)$$

신경 쓸 것도 없네 뭐!
그깟 것에 풀이 죽냐?

난 한 줄도
못 풀겠더라.

유선이는 포기한 지
오래 됐어.
산수 때부터…

꼭 그렇게
얘길 해야겠니?
이 짜샤!

또
싸위!!

나도 그렇다는
소리다, 뭐!

그러니까 오늘부터
우리의 사랑으로
수학이란 놈의
높은 벽을 넘도록 해보자!
수학 숙제, 같이 해줄게!

꼭~
공부 못하는 놈들이
남의 숙제 대신
해주더라.

오늘은 제법 진지하시네?

야외 교실보다는 닫힌 공간에서 역시 집중이 잘 되거든요.

태림이, 스터디 시간은 간만이구나? 설마 선물 독촉 시위는 아니겠지?

지혜의 탑을 향한 이 순수한 정신을 의심하지 마세요, 누니임!

하하하—! 확실히 가을이군! 완전 문어체네? 뭐 읽었니?

야~, 갑자기 학구열들이 높아졌나?

승주 오빠! 저희도 수학 좀 가르쳐주세요! 수경이처럼!

공부는 스스로 하는 거지. 내가 뭘~.

오늘 수경이
히트였어요!
수학 선생님께
칭찬을 다
받았다구요!

타
...악

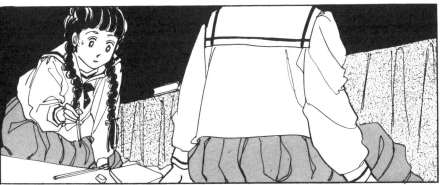

문제만 뚫어져라 보면
답이 나오나?
그래서 수경이가
대신 풀었답니다!

저것들이!

앉아!

탁-

어휴~, 정말!
이대로 계속
마주 앉아
있어야 하나?

혜진아…

나… 아무래도
여기 분위기
무리인 것 같아.

대단해!

재수 내숭
원단이다,
얘!

쾅

너희 둘,
잠깐 나와!

…뭐,
…뭐니?

별꼴이야!

죄송해요, 선배님들.
애들하고 볼일이
좀 있어서….

유선아!

됐어!

앉아!
지유선!

매회 언니….

앉아!

혜진아….

미안해….

혜진….

두 번째야!
지금 나가면
완전히 퇴장인 거
알고 나가는 거지?

매희야!

뭐 하자는 거야!
분위기 왜 이러니?!
정말 더 이상
두고 볼 수가 없어!

쾅

이 웃기지도 않는
늬들 편싸움 놀이를 계속
구경해야 하니?!

선배 안 보여?!
이것들이 지금
뭐 하는 거야?!

JTA 클럽
조각나는 꼴
보고 싶어?!

어어어…

혜진아!

같이 가!

시험 공부
안 하냐, 넌?
시간이 넘쳐
주체할 길이 없는 애
같구나.

이거 왜 이래?
착실하게 내 몫은
다 하고 있다구.

문제는 오히려 레슨 빼먹는 오빠 쪽 아냐?

불행하게도 이 교수님은 억지 용병을 두신 것 같다.

아니, 아니~. 매우 사랑스러운 용병이지!

오빠!

따리리리리리리 리리

따리리리 라라

죽고 싶어?!

죄송합니다!

태준 오빠!

파란불 끝나가는데
무턱대고 터벅터벅
들어서면 어떡해!

혜진아…,
정신을 어디 두고
있어?

두근!

뭐야…,
이 와중에…
가슴이 덜컹대다니!

그게 뭐예요?

우편 배달부는
벨을
3번 울린다!

갈게!

태준 오빠.

아무것도
안 물어요?
왜….

얼굴 가득
Keep out!
써놓은 게
누구야?

그렇게…
험했어요?

그만둬!
이 바보!

내가 원하던 거야!
녀석이 네 앞에
무릎 꿇게 해주지!
내가 해줄 수 있는
최대의 선물!!!

넌 그저
지켜보는 거야!
방해하면
모두 끝내버린다!
알아들어?

틀렸어!
틀리고도
한참
어긋났어!

다 들려…!
네 마음 속이 훤히
보인단 말이야!

아냐…,
이건 아냐!
이러지 마!

그만두란
말이야!

내가 널…
어떻게
지켜왔는데.

넌 내
자존심이야!
그런데…
감히!

…바보 자식들….

이게 뭐야….

그만두라고
했잖아….

Episode.21

경아!

손대지 마.

아무도….

잠깐~!

1. 마음에 들길 바라
2. 세상에 단 하나뿐인 이오공감
3. 내가 보고 싶을 때 듣는다
4. 절대 수학여행 선물을
   대신한 것이 아님
5. 하고 싶었던 선물이야!

미안~, 오빠!
이오공감 테이프는
나도 있는걸.

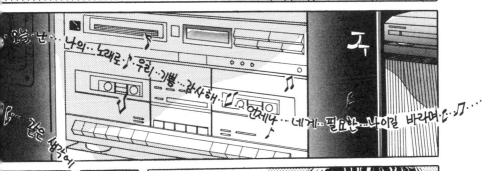

…이건!

태준 오빠…
목소리야!

세상에
단 하나뿐인
이오공감.

내가 보고 싶을 때
듣는다.

하고 싶었던
선물이야!

가슴이
터질 것 같아!

경아는?

수술은 잘 끝났어.
다행히 깊이
들어가진 않아서…
괜찮다는군.

넌 괜찮아?
다친 덴 없어?

아무렇지도
않아.

이 자식들을
그냥!

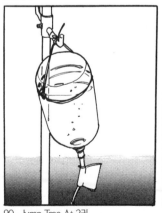

마취 깨어나면
꽤 아플 텐데.

집에 전화했잖아.
괜찮다고 허락….

그래서
외박이라도
하려고?

좋아.
그럼 너 혼자
지키고 있어!

오빠!

왜 화를
내는 거야?

넌 일곱 살짜리
보다도 못해!
대체 생각이란 게
없는 애 같아!

더 이상
뭘 보고 싶어?
어디까지
가고 싶니?

갈게.

지현아.

미안해….

뭐야.
나한테까지 조개처럼
입 다물기냐?
괜히 억울하다. 야….

별난 독종들이야.
툭탁거릴 힘 남은 거 보면
확실히 청춘이고….

됐어…!
휘경 오빠랑
엮지 말아줘.
싫으니까!

녀석아!!

누구든 숨기고
싶은 부분이 있어.
휘경인 네게 험하고
거친 모습 보이기
싫어했어.

건반 위
순수 열정의
손으로만
기억되고
싶었을 거야.

물론,
네가 휘경이와
공유하고 있는
유년의 기억
때문이기도
하지만…

왜라고 생각해?
모르겠어?
안 보이냐?

몰라!

…말장난.

아니!
이럴 수가!
태준 오빠
노래네?!

너!
비밀 지킨다고
했잖아.

이 웬수! 내가
녹음해달라고
했을 땐 귓등으로
듣더니! 오태준!
지유선한테
죽었쓰!

유선아~.

좋았겠다!
남자로부터 받은
첫 선물 아냐?
사건이네~!

음…, 뭔가
심상치가 않군!
태준 오빠…
널 좋아하는 거
아냐?

아냐,
얘!

그럼 네가
좋아하니?

아냐!

네 오빠 때문에
죽을 상이던 얼굴
이거 하나로
확 생기가 도는데,
아냐?

아니라니까!

…정원 언니
때문에?

둘이 결혼한 것도
아닌데 무슨 상관이야?
마음 끌리는 것에
죄의식 가질 거 없어.

……

혜진아…,
너 정말
그렇구나!

모르겠어….

모르면 배우면 되지.
오빠가 가르쳐줄게.
궁금한 것을 말하렷다!
뭘 모른다는 거야? 응?
귀여운 아우야!

넌 진돗개냐?
우리가 어디 있든
잘 찾아오네?

그렇지도!
감각으로 사는 건 맞군!
발 닿는대로
따르다 보니
이곳이더군!

거리 나오니까
활기가 넘치네~!
학교가 텅 비어서
그런가 봐.

매희야…,
너희들 잠 못 잤냐?
얼굴이 왜 그래?

말 시키지
마—.

식사시간에 이어
자유시간 1시간,
선물 사러
안 갈래?

으아악, 선물!
제발 그 말만은!
어흐흑! 태림이 짜식~!!
꿈속에서까지~~~!
돌아가서 보자!

좋은 생각이 났어!

예쁜 조개껍질을 주워서 하나씩 선물하는 거야.

닮은 놈으로 고르자.

동그란 유선이.

새침한 수경이.

재롱이 태림이.

그리고… 수도꼭지 혜진이…

그 녀석, 내 마음도 모르고 펑펑 울지나 않았나 몰라. 야속해하고 있겠지?

승주, 네가
제일 속상했던
것도 알아.

엄마 노릇
쉬운 게 아니지.
더구나 남자들이 모두
우유부단하니까.

미안해.
매희 고생이
제일 크다!

알고 있구나?
하하하~.

하 하 하 하…

분위기 좋습니다!

아…

바다 좋다~!!
JTA 꼬맹이들
같이 왔으면
좋았을 텐데!

오~,
후배 사랑!
역시 태준이다!

바다를 보고
어찌 뛰어들지
않을 수 있나,
너희들은!

아아…,
난 여기 있을게.

나두!
잘 다녀와.

우왓! 시원!

오래 있다간
발목이
저리겠는걸?

좋은데….

너, 조금
변한 거 같아.

좋은 의미야.
초 긴장 상태에
있던 네가
많이 완화됐다고나
할까?

때론
다수의 평화보다
특별한 하나로 인해
죽을 수도 있겠어.

시간이 좀
걸리겠지만.

내 생각을 읽고 있다고 자신해?

너를 위해 기도한 것이 나의 구원으로 돌려진다면…

받아야 하는 걸까, 네게 돌려주어야 하는 걸까…?

구원은 가장 절실한 사람한테 돌아가는 것이지. 네게 돌려진 것이라면 나보다 절실했기 때문이야.

너도 원하던 것이었는데? 포기하는 거야?

너의 구원 이었으니까.

내겐 별로 절실한 것이 아니었다면, 네가 그것으로 죽어가고 있다면?

진실을 배반했다 해도 난 너를 단죄할 권리가 없어.

웬일이니?
시녀 없이
공주님
행차라니….

같이 갈래?

괜찮아.
그냥 있을게.
다녀와.

저 아이는…

어떤 모습을 하고 있어도
예쁘구나.
미모가 재능인 것만은 확실해.

차가운 만큼
남에게 폐를 끼치는 행동은
하지 않는 타입.

내게 무슨 할 말이
있는 걸까?

그냥 무시해버리면
두 번 말 붙이지 않겠지.
왕존심 아니겠어.

…하지만
궁금해.

돌연한
호의가…

오늘…
시간 낼 수 있어.

나….

JumP
Tree A⁺

Episode.22

…중학교 졸업식 때
어떤 아이가 던진
눈에 맞아
이마에 심한 멍이 들었댔어.
눈 속에 돌을 넣어
던졌던 거야…

난 며칠을
않는 동안
계속 울었어.
돌에 맞은 상처
때문이 아니야.

부푼 이마를
감싸쥐고 나오는
내 등 뒤로 떠들던
아이들의 소리…

소금 뿌려라!

시원하다!
재수 얼굴 다신
만나지 않게 돼서!

퉤─!
모델이면
다냐!

난 그 아이들에
대해 전혀 몰라.

단 한 마디의
대화도 나눈 적 없는
아이들이었어.

날이 갈수록
집요한 독설들을
피할 방법이란
외면하는 것뿐이라
생각했어.

덕분에 마음을 열고
우정을 나누는 친구는
아무도 없어.
단 하나 단짝 친구마저
이민을 가버린 뒤로는…

화면 속의
나를 떠올려
호기심으로
다가오는 것은
좋은 편이야.

심한 안티들은
침묵을 거만으로,
움직임을 오만으로,
일거수일투족을
재수없다 말하지.

내게 왜
그런 말을
하는 거니?

…내가
이런 말을 하는 건
두 번째야.

첫 번째는
승주 오빠였어.
그때 오빠가 내게
해준 말은…

일부를
전체로 확대 해석
하지 마.

재능에 대해
숨길 것도,
후회할 것도
없어.

스스로
스타 의식에
묶여 있는 거
아니야?

오히려 넌
프로로서 훨씬
선배가 돼
있는 거야.

순간 난
눈물이 왈칵
쏟아질 것 같았어.
따뜻하고
든든하게
느껴진 거야.

그때부터였을 거야.
나 혼자
말 한마디마다
동요하며
기대온 것이…

승주 오빠는
늘 친절하고
상냥하지만
변함없이
그 자리야.

무슨 뜻이니?

난…
알고 싶어.

내가 가고
싶은 곳에…
네가 있는 것
같아.

…필요한 건
없느냐?

없어요!
와주신 것만으로도
황송하니까요.

……

언제든
필요하면
연락해라…

……

푸후후…

하하하하….

괜찮아?

야…, 민휘경.
값 떨어지겠다.
비싼 얼굴 너무 자주
보이는 거 아냐?

집에선
다녀가셨니?

언제까지
널 볼모 삼을 수
있는 거지?
이 붕대를 풀 때까지?
영원히 풀어버리지
않으면 너…
어떡할래?

하긴…
붕대 따위로
묶일 녀석이
아니지.

뭣 때문에 또
민감해진 거야?

어줍잖은 동정심
생길까 봐
미리 거절하는 거야.

괜찮은데?
밤하늘, 별, 바람.
그림상으론 로맨틱하지?
어깨의 통증과 환자복이
분위기를 망치고
있지만 말이야.

일어나,
더 늦기 전에.
레슨 있잖아.

아….

내일부터는 오지 마.
보상 심리 따위로
감정이 기우는 건
싫어.

……

시위는 그만해.
너의 음악을
멍들게 하니까.

뮤즈를
위해서라도.

정원아…,
그동안 한 번도
널 데려다주는데
문제 삼지 않았잖아?
오히려 따로 가는 게
어색했었지.

그게 이젠 어색해.
굳이 지하철, 버스
갈아타면서까지
데려다주지 마,
태준아.

너도 피곤한데
바로 갔으면 벌써
집에 도착했잖아,
시간 낭비 없이.

버려질 시간이
문제 되는 게 아니라
뭔가 심적 부담을
갖고 있다는 거겠지.
또 뭐가 문제지?

난… 정말이지
이런 대화…
다시는 하고
싶지 않아,
태준아….

하나도
나아지지 않았어.
처음으로
돌아간다는 건
무리야.

배려해준 마음 알아.
그러니까 이제 됐어.
더 이상 노력하지
않아도 돼.

내가 억지를
쓰는 것처럼
보였어?

기분 나쁘게
듣지 마.
내 마음은
전과 달라.

내 자존심이야
이미 다 보여줬으니
감출 것도 없어.
정말 담담하게
하는 말이야.

좀 더 구체적으로
말한다면, 단체에서
만나는 것 빼고
사적으로 특별한 관심은
갖지 말자는 거야.

예를 들어,
데려다주고,
보다 신경 써주고
하는 것도 말이야.

그냥 평범하게
만나면 인사하고
헤어지고,

그렇게
자연스럽게
잊혀지는 대로….

그래….

그래….

또 부딪치면
그런대로…?

…쉽고 짧은
한마디….

알았어….

갈게!

정말 혐오스런 모순이야.
내가 강요해놓고….

이젠 지친 거야.
언제나처럼 예고 없이
오랜 시간 준비한 말로….

이건 일방적인 통고야.
누구든 지겨워질 거야.

바다 같은 인내를
가졌다 해도…

견딜 수 없을 거야.

나가!
허락도 없이
어딜 들어오니?!

각각 보조 열쇠 달고
비상벨도 설치해라!
비밀번호 입력하고
아예 철문으로 바꾸고
방음 장치도 하고.

준희는
내 여자친구야.
무례하게 굴지
않았으면 좋겠다.

그리고…
노크가 잘못된 건 아냐.
그동안은 필요 없어
무시한 예의였지만
이젠 필요해진 것 같다.

오빠…,
정말 오빠
맞아…?

잘 자라.

……

노크라고?
이제 노크 없이
오빠 방문조차
열 수 없다는 거야?

오빠!
대체 왜 그래!

난 너무나
하고 싶은 말이 많아!
너무 많은 일들이
있단 말이야!!!

무슨 출근이야!
내가 파출부라도 되나?
나도 공부해야 해요!
싫어요! 안 가요!

벼락 치겠다.
공부씩이나!
핑계 댈 걸
대라, 애!

언니
보낼게요.

삼촌
아프시대.

안 돼.
난 과제가
쌓였다, 쌓였어!
밤샘해도 모자란다!
약 드시라 그래.

삼촌!
정말...
아프시네?

에휴~,
멋진 노총각
서럽구나.
어흐흑~!

여기 왔잖아.
잣죽 만들어
드릴게요.
잇몸 부었으니
뭘 드실 수
있겠어요?

삐이...

삐이

무정한 것들!
약이나
먹으라고?

딩동
딩동

휘경이
왔나 보다.

아프시다며
레슨을 어떻게
봐줘요?
그냥 돌려보내요.

너네
싸웠구나?

삼촌! 삼촌,
아프세요!

어이!
빨리 들어와!
시간 아깝다.

괜찮으세요?

아아…, 귀는
열려 있다구.

…드렁..

드렁 드러렁

드러렁.. 푸르르..

…봐! 삼촌 잠드셨어…

오늘 레슨… 허탕이네?

커피 한잔 줄래?

삐 이 이 이..

경아 언니는…?

잘 견디고 있지.

아앗! 뜨거!

지현아!

주전자 물이 흐르는 걸 깜빡했지 뭐야.

괜찮아?

응…, 괜찮아. 살짝 스쳤나 봐….

너란 녀석은….

정말 소란스러운 놈이야….

일어나! 혜진아!
날이 갈수록
하는 짓이라니!

이게 뭔 소리?
노래가 왜 이래?
귀곡성인 줄.

으응…

어? 소리가
왜 이러지?
테이프 늘어난
것처럼…

밤새 틀어놓고 잤군!
무한재생 돌렸는데
안 늘어지고
배기겠냐?

어떡해!
늘어나버렸어!
단 하나뿐인
이오공감인데….

테이프 타령
할 때가 아녀~.
시계를 보시죠.

으아아….

삐리리리리리리...리

정말 울고 싶다!
연속으로 뭐야?!

…전철까지
놓쳤다는 거야!

Episode.23

태준 오빠…, 이 시간에 뭐 하는….

그래도 아직은 희망이 보이는 시간이네.

마지막 기대 저버리지 않게 해줘서 고마워!

설마… 기다렸던 건…?

왜 아냐? 정말 굉장한 경험을 했지.

철의 심장을
갖지 않고는
불가능한 일이야!
상습범의 심장은
어떻게 생겼을까?

에~, 솔직하게
사실은 오빠가
지각해놓고
핑계 대는 거죠?

음…, 증명할
무엇이 없군!

오늘은 그렇다 치고,
내일부터
일곱 시 정각이야.

…예?

삐리리
리리리리…

왔다!
와…,
스릴 넘치는데?

걸어가요…. 하아…, 하아….

하아…

하아…

하아…

고지가 눈앞인데 포기라니.

으아아…, 못 뛰겠어…. 헥—, 헥—.

아

하아…

카운트!

10.

9.

8.

7.

DANGGI

으아아~, 독종들!

살려주세요!

문 닫지 마요!

여행 잘 다녀 오셨어요?

웬 비극! JTA 금 가는 소리 들리지?

매희야, 수첩….

아, 이쪽은 내가 걸을게.

일단 내놔, 이 웬수들!

부조리 사회악의 시초. 안면이 뭔지.

……

혜진이, 점심 때 매점으로 와. 빵과 교환해 주지!

예!

죄목이 또 하나 추가되는군. 뇌물수수….

매점

가보로 삼을까?
귀걸이 만들어
하고 다녀?

'재수 없는 남자
베스트 10'에
귀걸이 한 남자가
3위인 거 몰라?

어디 통계냐?
개성시대 아냐?
록스타처럼
뚫으라 할 때는
언제고….

매희가
선물한
초개목음

네가 ROCK
그 근처나 가냐?

아니, 못할 건
또 뭐 있수?

체하겠다, 애!
선물 두 번만 받았다간
무대에 오르겠어.

얼마나 선물이
받고 싶었으면
이러겠어요.

안녕!

...아!

...어?
분명히 오렌지
눌렀는데….

마실래?

네 오렌지
내가 살게,
그럼….

…너랑
얘기하게 돼서
기뻐….

생각보다 많이
수줍은 아이….

참으로 맑은 아이다.
숨길 줄 모르는
공통점 때문일까.

뭔가…
닮은 색인 느낌이
들어.

자ー!

나도!

안녕!

승주 오빠!

즐거운 여행이었다죠?

수학여행 일정 비디오 상영 한대요?

곧 시사회 예정! 기대하시라. 「신혼은 아름다워」가 녹화돼 있어.

와아~, 누구랑요?

매희랑 나하고….

말도 안 돼!

그렇게 나를….

매희 언니가 아까워!

끼이이익..

아 하 하 하 ..

..해·하··

자식들! 아빠의 마음을 기쁘게 하는구나.

푸시시

푸시시

승주 오빠….

주연 맡으셨다며? 현목이 형.

그렇대….

무슨 대답이 그래?

나도 전해 들었으니까, 뭐….

오빠한테 시집 가고 싶었지?

뭐—? 끔찍하게!

어렸을 때 혜진이 꿈 아니었어?

그거야 어릴 적에.

엄마 말에 따르면 정말 끔찍하게 오빠를 따라다녔대. 오빠가 잠들어 있어도 옆에 앉아서 놀았다나? 후훗….

오빠를 왜 그렇게 좋아했는지… 내가 생각해도 이상해….

하지만 지금은 미워 죽겠어….

…조금은 자란 것 같지만, 그래도 아직 멀었는걸.

태준이랑 매일 아침 같이 등교하니?

…응? 그렇지 않아. 오늘 우연히….

그럼 내일은?

그건….

나도 혜진이네 동네에서 매일 아침 기다릴까?

다들 짰구나! 아무리 내가 지각을 한다고…. 너무해, 오빠~!

오빠…,
아파?

아픈 거야?

……

미안해,
노크 없이
들어와서….

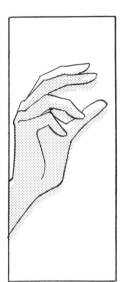

혜진아…,
우리끼린
노크하지 않아도
괜찮아.

Episode.24

난 오빠의
말 한마디면
모든 감정이
눈처럼 녹아내려….

억지를 정당화시켜
주는 거야.
오빠는 나를 훤히
들여다 보는걸….

몰라!
미워 죽겠어!

콜록.
콜록.

정말 아프구나,
오빠.

…괜찮아.

가벼운 감기 기운인걸….

약 먹어! 여기.

아…, 고맙다.

아프면 아프다 그래…. 옛날엔 엄살도 피우고 그랬잖아.

푹 자…. 필요한 거 있으면 부르고.

와~,
대단한 혜진이!
달리기 신기록
세웠다!

겨우 5분
늦었는데….
치사하다!

아직
안 온 걸까?

문 닫겠습니다! 문!
그만들 타세요!

와…, 굉장하다!
저길 어떻게 뚫고
들어가냐!!!

어엇…!

우아~!
이 시간에
네 얼굴을
볼 수 있다니!
태준 오빠
능력 있네?

와~! 말도 마라.

헉!
헤!

완전히
실려 왔다는 거 아니냐.
손가락 하나도 까딱
할 수 없는 거 있지.

흐음~.
태준 오빠한테
안겨서 왔다는
말이지?
좋았겠다.

끼끼...

유선아~!

정말 마음대로
원서 쓸 거냐?
자신 있어?

경아,
퇴원했다더라.
너네 쫑 했다며?

큰형 앞에서는
무릎조차
못 펴면서…

……

젠장! 잘하면
혹 하나 붙이겠군.

우리 집 방세
비싸다, 너.
설거지도
해야 할걸?

하하하…

웃지 마,
이 물귀신—!

다 알고
있었으면서
뭘 그래.

후후훗….
뮤즈가 신은
신인가 보다.

아….
나도 그런 뮤즈
하나 있으면
좋겠다.

틈내서 JTA
한번 들여다 봐.
무심한 거 아냐?
정원이,
네 안부 묻더라.

쫄면 둘이요!

아줌마, 김밥 더 주세요.

다음은 1학년 지유선 양이 신청한 이오공감의 「한 사람을 위한 마음」 입니다.

넌 위해 신청했다는 거 아니냐. 태준 오빠 테이프 주면 노래 틀어달라고 했을 텐데….

유선아! 정말~.

어머! 실수! 비밀인데!

태준 오빠가 노래 녹음 해줬어?

아이고, 귀여운 혜진이. 태준 오빠 테이프 나도 있다면 충격 받을 거냐?

…으응.

하하핫…. 별게 다 비밀이다.

어떻게
도와줘야 하니?

없어요.

공부하느라
정신없지?
집안 어르신들
좋아하겠다…

나,
피아노과
쓸 거다.

정말?

응…

멋지다, 오빠!
그럴 줄 알았어.
나도 그런 용기
있으면 좋겠다.

너도 갖고
있는 거야,
네 마음속에.

현목 씨
연습실에
없던데….

지하 카페에
가보세요.
새 아지트
거든요.

고맙습니다.
수고하셔요.

난 숨바꼭질은
자신 없어.

EXIT

Black

책 고마워요.
잘 읽을게.

자, 다음 코스!

용돈 올랐어?
아무리 그래도
무리하는 거
아냐?

뭐든…
선물 받고
싶다며?

누군데?

너무 걱정 마.
조금밖에
안 먹는 애야.
모자라는 값은
내가 낸다니까.

고마운 뜻으로
미인과 데이트를
시켜주겠다는 거
아닙니까.

아! 여기!

수경아…

승주 오빠…

자! 이건 다 내 것!
두 사람 알아서
나눠 먹도록!

혼자 다
먹으려고
구석에 몰아
넣은 거지?

들켰다!

수경아,
먼저 먹어라.
오빠가 더
뺏어줄게.

안 돼~!
너무해!

욕심 부린
대가야.
먹자, 수경아.

하
하
하
하

잠깐…
들르지 않을래,
우리 집?

잘 먹었어요!
승주 오빠,
오늘 정말 정말
고마워!

늦었어.
다음에 갈게.

그래….

승주 오빠,
오늘 빚진 거
꼭 복수할게!
수경이 에스코트,
잘해요.

내일 보자.

안녕,
혜진아.

Episode.25

언제나
여기까지였어.

네게 답을
원하는 게 아니야.

단지,
나의 마음을
듣기 바라….

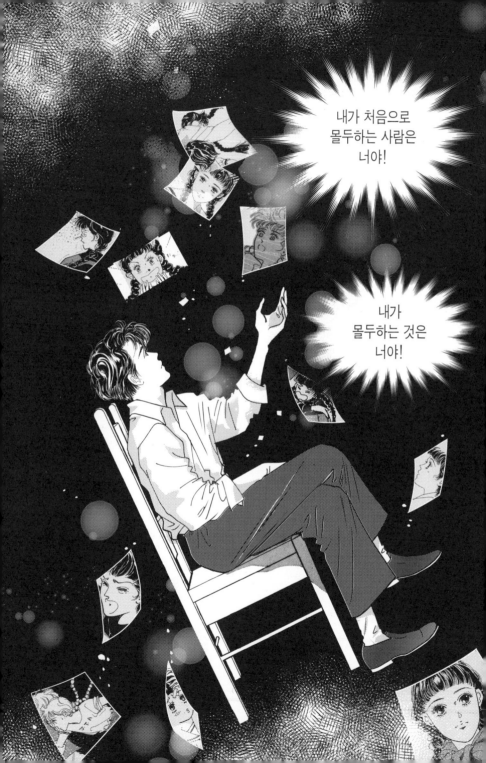

승주 오빠…,
혜진이를 정말
좋아하는 거야?

그동안의
어려운 말들…,
모른 척하고 싶었던 이야기,
모두 혜진이에 대한
진심이었던 거야?

오빠와 같은
JTA라는 것만으로도
행운이라 생각했어.
사랑받게 된다는 건
상상할 수 없었어….

무서워….
난 콤플렉스 덩어리야.
우리 오빠 외엔
모두 두렵단 말이야.

나에게조차
최초로 하는
고백이 있어.

혜진이는 거짓말쟁이야.
어쩜 처음부터
알고 있었어.

승주 오빠가
수경이를 외면하고
나를 데려다준다
했을 때
싫지 않았어.

정말 나쁜 애야.
가증스럽고 뻔뻔해!

오빠들 마음을
자신도 모르게
저울질하면서
들키지 않기 위해
힘들었는지도 몰라.

마음을 떠보려 한 것처럼
된 것이 당황스럽다고
오빠를 바보로 매도하고…

태준 오빠에 대한 마음도…
가장 깊은 곳에 숨겨놓고
철저한 연기를
하고 있는 거야.

하나뿐인 이오공감이길 바랐어.

내가 무슨 자격으로
질투를 한다는 거지?

혜진아!

너…,
무슨 일이야?

죄송합니다.

배짱 두둑하구나!
조명 받더니 얼굴이
두꺼워졌나?

죄송합니다.

수경아!
어떻게
된 거야,
너…?

걱정했어!

대단한 지각이군!
지각하는 법도
전수했냐?

…이제, 너…
여우짓 하는 거
보게 되는 거냐?

미안…

고맙습니다!

으아~.
졸려서 혼났네!
버텼더니 배고프다.
새참 먹으러 가자,
혜진아….

으흠…, 미안하다!
눈치없이 굴어서….

가보셔야지~.
애타게 기다리던
친구 있잖냐.

에구, 서러워라!
에구, 서러워라!

얼굴 볼 자신 없어.
무슨 말을 먼저
건네야 하지,
수경아…?

약속한
테이프야.

수경아!

돌려주지
않아도 돼.
밤새 복사했거든.
덕분에 늦잠을
잤지만···
후훗···

안 받을 거야?

고마워···

미안해….
곤란하게 하려던 게
아니었어.
혜진아, 난…

너에게
말을 건넨 동기가
불순했던 건 사실이지만,
나의 이야기를 하는 내내
마음이 편했어.

부끄러운
고백인데도 불구하고
믿기지 않을 정도로…
아주 오랜 친구처럼
자연스러웠어.

이제… 정말
너와 친구가 될 수
있을 것 같아.

승주 오빠의
마음이 어떻든
난 답을 얻었어….
너를 통해 확인하고
싶다던 말은 전부
지우고 싶어.

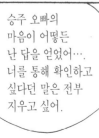

서로에게 반한
소중한 친구로
시작해줄래?

어른스럽다….
난 얼마나
편협한지….
부끄러운 건
나야.

우린 아직
열여섯이야.
뭔가 승부를 내버리고
끝내기엔 억울하다고
생각 안 해?

좋은 감정을
갖고 있는
것만으로도,

정말
멋지다고 생각해.
결론을 내기 위한
만남을 원한 게 아냐.
시도만으로 좋아!

승주 오빠에
대한 건 내 몫이지.
걱정하지 않아도 돼,
혜진아….

너…
아주 강한
아이구나….

태준 오빠가
언제든 언니에게
돌아갈 거란 확신을
갖고 있어요?

이번에야 말로
혜진이 바라보면
어떡할 건데?

태준 오빠는
언니 죽을까 봐
먼저 떠난다는 말 못해.
언니가 놓아주기
전에는!

네게 끝났다는 말을
해야 하는 것조차 불쾌해!
얘기할 이유가 없어!

좋은 사람끼리
잘되길 원해!
난… 태준 오빠, 정원 언니랑
계속 아름답길 원해.

…혜진이 다치게
하지 말아요.

난 이해가 안 가!
혜진이 혼자 저렇게 되냐?
원인 제공 요소가 있는 거야!
태준 오빠가 꼬리 친 거야!

얌마!
귀여운 후배
상냥하게 대하는 건
당연한 거고,

예쁘면
선물도 할 수 있고
그런 거지, 뭘…

야아~~!
선물에 꼭 특별한
이유가 있어야 해?

그걸 왜
혜진이에게만
했냐, 이거다!!

잠깐 쉬었다 하자.
매희, 뭐 마실래?

다이어트
coke!

감자칩도
사올게.

뭐야,
저 녀석들…!

오늘
바이오 리듬이
나와 비슷한 것
같구나.

내용은
다를지 몰라도
대상은 하나인 것
같다.

…혜진이.

Episode.26

JumP
Tree A+

완벽한 확신이군.
과연 너의 더듬이는
감지 기능이 뛰어나….

난 너와의
특별함을 깨고
싶지 않아….

머뭇거림을
힐책하고
싶어?

포기는
절대 아니야.
너의 행운을
시기하는 건
더더욱 아니고.

내가 부탁하는
자체가 우습지만
그래도 한마디
하자면,

너의 신용을
잃고 있었구나….

네가 좀 더
진지해지길
바란다는 거.

코미디다, 김승주….

마치 어린 딸을
시집 보내는 아빠처럼
얘기하다니….

자학의 극단적 표현이
위치 이동으로 나타난 걸까?

나의 이기심으로
의식 없이
외면한 얼굴….

또 다른
나의 모습──.

오빠 연습
방해한 거 아냐?

근데 갑자기
웬 외식이야?
살짝 동생 핑계 삼아
연습 빠진 것 같은데?
순 날라리잖아!

응!
이 집은 디저트가
마음에 드는군.
아이스크림!

맛있었어?

뭘 그렇게
보는 거야?

혜진이 얘기…
듣고 싶다.

오빠…,
…애인 있는 사람
사랑하면 안 되지?
나쁜 거지?

누군가를
아끼는 마음을
갖는 건
좋은 거야.

사랑은 자기애에서
비롯되는 것이고
거울에 자신을 비춰보는
입체적 확인이라
할 수 있어.

처음엔
승주를 위한 마음이었다.
친구의 마음을 전해주기
위함이었다.

친구 앞에
데려다준다는 이유로
달아나는 너의 손목을
몇 번이고 붙잡았고…,

문득 그 손이
따뜻하다고 느꼈을 때,
네 손이 떨고 있음을
알았다.

여보세요···.

···나,
정원이···.

···아···.

결코···
나의 이름으로 시작된
인사가 아니었다.
그래서─.

태준 오빠…,
어째서 오지 않아?

혜진이는 겨우
용기를 내었는데….
혜진이 진심
알고 싶었는데….
얼굴을 보여줘,
오빠…!

…혹시
싫은 거야?

오빠는…
혜진이 바라보는 게
싫은 거야…?

시작조차
거절한 거야….
그냥 이대로
끝이야….

하아
하아

타 타 타 타

혜진아….

The London policeman huge, pacific, and friendly is famous even among those who have never seen England. 여기에서 huge, pacific, friendly는 모두 policeman 을 수식하는 형용사다.

이때처럼 두 개 이상의 형용사가 같은 명사를 수식할 경우엔 형용사를 명사 뒤로 빼주기로 한다. 여기에서 who는 형용사절을 이끌어 선행사 those를 수식한다.

have never seen~ 이 문장의 시제는―,

경험의 현재 완료.

해석은 5번이 해보도록.

......

혜진아!

결석인가?
5번, 5번…
유혜진!

예!

여기
밑줄 친 것
읽어!

아..

덩치가 크고 평온하며
친절한 런던의 경찰관은
영국을 한 번도
보지 못한 사람들
사이에서조차
유명하다.

따
르
르
릉

유선아…

짜식아!
뭐 그리 어려워?
친구 됐다 뭐 해?

힘들 때 기대라고
있는 것이
친구란 거다.
물론 좋은 놈으로
골라야겠지만….

수경이랑
어울리더니
여우짓 옮았어?

그런 말
하지 마….

편드는 거냐?
여우짓이란 게
걸려? 허얼~.

그런 거 아냐!
그렇지 않아!

너마저 가버리면…
난 아무도 없어,
유선아.

미안해….
그냥 내 어리광
받아줘….
나중에 갚을게.

…….

그냥…
무조건 내 편인
친구해줘.
유선아….

아이고, 찐~해라!

포옹을 이쪽이랑 해야 전기가 찌르르 통하지!

자! 다시 정식으로—!

악!

분위기 망치는데 뭐 있다니까.

이런 건 망칠수록 좋은 거다, 인마!

간만에 토요일 오후 뭉쳐볼까, 우리 넷?

음…, 친목회 좋지! 태림이 네가 내는 거냐?

벼룩의 간을 내드쇼!
네 치킨 값으로
다음 달 용돈까지
가불한 거 모르냐?

모른다!

난… 빠지고
싶은데…

절대 안 돼!
진이 빠지면 의미가 없어!
무슨 재미냐?
장미 없이 호박들과…

맞아.
혜진이는 우리의
희망이야.
네가 없으면
우리도 안 가!

더 정확히 말하면
못 가는 거지.
왜냐하면…

넌~ 물주거든!

너무해!

하
하
하
하
하
하

소문엔
귀를 닫는 게
현명해.

근거 없는
말이니
신경 쓰지 마.

너에 대한
어떤 이름도
입에 올리지 않고
있으니까….

널 난처하게
만들 일은 안 해.

내가 원했다고….
내가 원해서?
나를 위해서?

그래…,
내가 가장 싫었던 말은
바로 그 때문이야.

네가 원해서가 아니었지….
언제나 나 때문이라는 말….

넌 단 한 번도
네 스스로 원해서라는 말은
하지 않았어!

…얘기 끝났으면 간다.

넌— 남들이 읽어주길 바라는 일기를 쓰고 있어.

감춰야 할 것을 누구든 볼 수 있는 곳에 펼쳐놓고,

전부 읽게 하고는 등 뒤에서 나타나 용서한다는 표정으로 상대를 죄인으로 만들어버려….

너의 행동이 모호하다고 생각 안 해?

……

승주를 위해서라고? 어디까지가 친구를 위한 호의란 거지? 결국 너를 위한 것 아니었어?

네 변명의 도구로 내 이름이 쓰여지는 게 몹시 불쾌해!

JumP
Tree A+

Episode.27

저희가
어린애인가요?
알아서 할게요.

국은 끓여 놓았고
반찬은 찬합에 있다.
찌개도 데우기만
하면 돼.

집 걱정 말고
즐겁게
지내세요.

문단속들 잘하고.

예~, 어머니!
다녀오세요!

멋지다! 제주도에서 데이트
신청하시는 아버지,
그리고 한껏 아름답게 치장하고
날아가시는 어머니!
로맨스 그레이야!

혜진이도
그렇게 살 거야.
로맨틱하게!

좋은 환경에서
자라는 건 중요해.
좋은 부모
모시는 것도
하늘의 복이지!

태림이 뭐 하냐?
빨랑 집에 보내야지.
벌써 10시 넘었다.

그렇지~.
잠들지 않은 다음에야
조용할 리가 있겠냐?

야!
선우태림!

일어나…

와…, 이 녀석
자는 모습…
왜 이리 이쁜 거야?
뽕 갈만 하네~.

일어나, 인마!
너 정말 잘 거야?

어린 것들만 두고
어떻게 발이
떨어진다는 말이야!
보초 선다니까~.

어이구,
자면서 보초 서냐?
차 끊어지기 전에
서둘러.

저 둘은 정말
묘한 짝이야….

안가!
안가!

가!
가!

미쳤구나!
오지랖 이지현!
정원 언니한테
왜 쓸데없는
소릴 해?

조용해! 유선아~.
혜진이 깨겠다.

네가 태준 오빠
마음 속에 들어갔다 왔어?
어떻게 그렇게 잘 알아?

정원 언니는
비관적이고 음흉해!
중증 편집증이라고!
내가 태준 오빠라면
벌써 도망쳤다!

바람처럼 구는
태준 오빠
지켜보는 입장은
생각 안 해?

억지라고 생각해.
주변에서 밀어붙여
엮어진 커플인데다,
서로 바라보는 색이 달라.
정원 언니 혼자 열 내고
있는 거라고!

아무 데나
한 손으로만 쳐도
소리는 나게 돼 있어.
상대 의지 상관없이
일방적인 잡음이
가능하다는 말이야.

너야말로
편견이고 억지다.
손뼉도 맞춰야
소리가 나지.

우리 대화가
이렇게까지
복잡해야 하니?

너의 생각,
혜진이에게
전하지 마.

자연스러울 일을
네가 혼란하게
만든 거야.

지유선!

그래,
걱정한 건 알아.
하지만 분명히
월권이었다.

좋은 운동이야.
내가 수영 다음으로
네게 권하는 운동
아니었더냐?

스트라이크!

와우!

괜찮아요? 다치지 않았어요?

수경이구나?

막무가내로 미끄러지면 위험하잖아!

…마! 갑자기 튀어나온 거야 이 친구가…

오빠가 옆으로 뛰어내릴 수도 있었잖아! 그 정도 컨트롤 못해?

화~, 인마! 말 좀 하자, 나도!!!

죄송합니다. 괜찮으세요? 제가 앞을 살피지 못했어요.

아…, 예. 뭐…, 저야.

근데… 수경이랑 어떻게 되시는지? 같이 넘어졌는데 나만 구박하니… 숨겨놓은 애인쯤 되시나?

학교 선배예요!
장난칠 생각이면
그만둬!

같은 선배인데
차별이 심하네~.
CF 선배는
선배 아니냐?

효민 오빠!

통성명이나 합시다.
차효민이오! 해담대
연영과 3학년—.

해담고 2학년
김승주입니다.

와~, 프레시맨!
기억해두지!

D.L에 나오던
차효진하고 닮았더라.
춤도 잘 춰?

최고예요!
성격도 좋아서
많이 도움 받고 있어요.
좀 짓궂은 게
옥에 티랄까…

미니 시리즈
기대할게.
컴퓨터 천재 소녀
역이라며?
스니커즈 스토리쯤
되는 건가?

와~! 오빠도
영화나 TV 봐요?
그런 거랑 거리가
먼 줄 알았어요!

으네리 프로는
꼭 챙겨 본다고!
물론… 우리 학교
탐방 이후의
일이지만.

아하하하~.
속 보인다!

하하하~.

컴퓨터 잘하죠, 오빠? 어렵던데 난….

컴퓨터를 배우기 시작했는데, 강사가 데이트하느라 자주 펑크를 내서 걱정이에요.

어휴~. 같이 욕 좀 해줘요, 승주 오빠!

그 아저씨 장수하시겠다!

컴퓨터는 조금 배우면 알게 돼.

컴퓨터 한답시고 매일 오락만 했더니 깔아놓은 게임 세 개는 지겨워서 더 이상 못할 지경이에요.

사실 나도 오락만 하는걸.

하하하~.

알았어요! 가면 되잖아! 어휴~. 글쎄, 알았다니까요! 지금 나갈게요. 예!

어머님 호출?

울 엄마 어디 가시는데 집 볼 사람이 없단다.

우:우:....

괜찮겠어? 같이 우리 집 갈래?

야…, 여긴 어쩌고?

섭해서 하는 소리지, 마!

태림이 녀석, 큰 형 심부름만 안 갔어도 불러놓고 가겠는데. 에잉~! 기사가 이다지도 없단 말이냐!

현목 오빠도 하필이면 오늘 지방에 가실 게 뭐냐?

혜진이 부모님
비행기 연착으로
늦으시는데, 지현이
이따가 너무 늦어
어떻게 가냐?

내일 학교 갈
준비만 없어도
하룻밤 더 자고 가도
괜찮을 텐데….

나 괜찮아.
저녁 먹고
지현이도
늦지 않게
집에 가라.

옆집도 엊그제
밤 손님 다녀갔다고
벌벌 떤 게
누구냐?

맞다! 야~!
지현이 삼촌댁
이 동네에서
가깝지?

삼촌한테
데려다달라 해!
차 됐다 뭐 하시니?
에스코트 해주실 거야.
전화해봐.

응….

외박한 게 무슨 벼슬이라도 되는 줄 아느냐?

허락 맡고 친구네서 잔 것도 잘못이야? 그만둬요! 삼촌 잔소리 듣자고 전화한 거 아냐!

이눔 짜식! 말만 한 계집애가 어려운 줄 몰라?

어허! 이놈! 말하는 것 좀 보게! 어른 말씀에 어디 감히 토를 달아?

끊어요!

어…, 지현아!

우짜지? 장난 좀 친 건데 완전 삐쳤네, 이 녀석~.

그나저나 녀석을 어쩐다? 네 레슨 끝나고 나 약속 있는 거 알지?

혹시 혜진이네 집 아는가, 민휘경 군?

시간에는 칼 같은 친구들이라 틀림없이 올 테고…, 시간 조정 하기도 여유가 없고….

와!
잘하는데!
다 뚫렸다!

뭐, 헬프 키도
누르지 않고
4단계까지 왔어!

에이—, 뭐.
오빠들이
다 가르쳐주니까
찾았죠.

문제는
6단계부터야.
속도가 두 배로 빨라서
정신 차리지 않으면
끝난다구.

똑
똑!

얘들아!

간식 준비
다 됐는데
이리 가져다
줄까?

죄송해요, 어머니!
도와드리려고 했는데
그만 오락에 빠져서는…
이 탕자들을
용서해주세요!

태준이 너스레가 늘었구나?
요즘 승주 애교 떠는 게
태준이 영향이었어!

예에? 승주가
애교씩이나요?
와아~.

하하하~!
어머니도.

수경이
치즈 케이크
좋아하니?

네~!!!
델리카슨
치즈 케이크에
반해서
입문했어요!

치즈 케이크
만드셨어요?

너 큰일 났다.
한번 맛보면
다른 치즈 케이크
못 먹게 된다!

암~! 델리카슨에
비교할 게 아니지!

와…, 정말
깜깜해졌다!

전화라도
할 것이지.

누구?

집 가까운데…
올 수도 있었잖아.
오늘 같은 일요일,
태준 오빠….

……

유선이 있었으면
한 소리 들었겠다.
미안~.

딩동 딩동 딩동

누구지?
올 사람 있냐?
이 밤에···.

현관문부터 고쳐라,
혜진아.
이런 때 인터폰
고장이라니!

으으···, 공포!

누구세요?
누구세요?

신원을
밝히지 않으면
문 열지 마!

얼굴이
호신술인데
야구 방망이는
뭐 하러 들고
있는 거야?

어···!

휘경 오빠!

Episode.28

십자가 보여요?
그 아래쪽 대형 네온과
마주보는 집이에요.

덕분에
방엔 불을 켜지 않아도
네온 불빛으로
환하지 뭐예요?

마치
사이키 조명
비춘 것처럼
말이에요.

아하하하—.

왜 웃어요,
태준 오빠?

새침쟁인줄만
알았더니…
이야기꾼
이었구나?

어머!
그렇지
않아요!

미안, 제군들! 가십시다!
어머니 심부름 받아오느라
기다리게 했군요!

그럼…
저 이만 갈게요.
오늘 정말 정말
즐거웠어요!

어어…,
같이 데려다줄게,
수경아!

아녜요!
200미터 앞인 걸요, 뭐.
승주 오빠, 태준 오빠,
안녕히 가세요!

조심!
좋은 밤!

학교에서
보자!

좀 의외다,
저 아이….

아주
상냥하고 밝아.
이미지가
틀려졌어.

조금씩 적응해
나가고 있다는 거지.

자신의 상황에
무척 스트레스를
받고 있었거든.
다행한 일이야.

정말…
너 오늘
웬일이야?

이런, 좀 뜸했다고
낯선 손님 대하듯 하냐?
보고 싶어서 왔어.

하하하.
하여튼 넌….

그린 하트로는
세계 평화가
이루어질 때까지.

누구든 기대하며
널 보고 싶게
만들어버리지.

우리 어머니도
수많은 팬 중 하나.
대체 얼마나 많은
마음의 주인을
허락할 셈이야?

핑크 하트로는
단 한 사람을 위해
더욱 다정해지기 위한
연습.

고맙다는 말을 하고 싶어…. 아니, 미안하다고 해야겠지….

오길 잘했다고 생각해. 아주 조금은 안도하고 싶은 마음이야.

수경이 때문에?

…정말 널 사랑하는 마음은 분명한데, 언제나 상처 입히고 말이야….

결국엔 큰 것을 빼앗고 작은 것으로 대신 위안해주었다 믿고 싶어 해.

그만해. 네 솔직함으로 충분해.

아직 나 스스로 날지 못하는 거야.

내 사랑하는 친구. 어쩌면 보다 더 깊이 사랑하고 있는지도 모른다.

정말 지켜줘야 할 너의 빛이라면…, 승주야….

내 주변에는 모두 똑똑하고 재능 있는 사람들 투성이에요.

덕분에 초라해져도 따라갈 길이 많은 것은 행운.

하지만 역시 뼈저리게 느끼죠. 내 재능이 아닌걸. 역부족이야….

……

우리 오빠나 휘경 오빠는 모든 걸 자신의 의지로 선택하는데,

내겐 뚜렷한 주관도 실행할 용기도 없고, 명분도 찾지 못했어요.

어른이 되면 두려움이 없어질까? 어떻게 생각해?

아니…, 지금과 변함없어. 단지 아닌 척 할 뿐이야.

속은 애가 타면서도 겉으로는 갑옷을 하나씩 덧입혀가며 무뎌지게 하는 거지….

적어도 옅어질 것 같아요.

눈물이 나는 날에는
창밖을 바라보지만
잃어간 나의 꿈들에
어쩔 줄 모르네.

나에게 올 많은 시간들을
이제는 후회없이 보내리.

사랑이란,
사랑이라는 마음만으로
영원토록 기쁨 느끼고 싶어.

슬픈 안은,
슬픔 안은 날 잠이 들고파.

변하지 않는 세상을 꿈꾸며─

푸른 하늘 〈눈물 나는 날에는〉

바보!
기다리던
태준 오빠야!
무슨 말이든 해!

혜진아!

어째서… 아무 말도
생각나질 않는 거지?
얼굴조차 못 보겠어.

이럴 때는
기쁜 표정을
짓는 거야.

뭐가!

악!
너무…
…가깝다!

그래~!
표정이 서툴 때는
소리라도 쳐!
그렇게~.

오빠!

소리가 클수록
반갑다는 뜻!
생각보다 많이
기다렸구나?
기쁜데?

누가
기다렸대요?!

와우!
러브 펀치!
무지하게
보고 싶었다는
극적 표현!!

....

기다려줘서
고마워….

…오빠
안 오는 줄
알았어요….

…의도한 건
아니었는데,
숙제할 시간을
번 셈이 되었어.

이거ㅡ.

믿음을
네 마음에 두는
기준으로,

이 세상에
단 하나뿐인
이오공감이야.

내 마음의 기준으로···.

그 말은
내 마음에 맡긴다는 뜻이야?
태준 오빠···.

너무 튀잖아? 공정하지 못해. 매희야.

사소한 일에도 징크스 걸게 되는 민감한 시기라구!

걱정 마. 이건 특별한 거야. 연훈 오빠 따로 줄 거야.

와우—.

뭘 상상하고 와우— 하는지 짐작한다만.

부정 않겠다. 정성과 순수와 진실만이 필요한 오늘이니까.

보기 좋다. 진솔한 게 너의 매력이지.

그렇다면 너도 가능성은 충분해!

열 개의 사탕을 한 사람에게 줘봐.

한 개의 사탕을 열 명에게 공평히 나눠주는 것 말고 말이야.

형님들! 이 엿 한번 잡숴봐!

그냥 막 붙어! 발버둥쳐도 떨어질 수 없는, 치타 God의 숨결이 담긴 엿!

결전의 때가 오긴 왔구나. 수도원 3학년 관ㅇ 미녀들 위문이라·· 심판 이브의 날이지.

애썼다. 포장하느라 얼마나 주물렀겠냐?

하하 하하

마음과 손때까지 묻어 있는데!! 지문 좀 봐~! 와하하~.

형님! 행운의 합격 엿 입니다.

아….

……

……

이것도 드셔요. 효력이 두 배!

수호신이 벌써 다녀갔군! 정원 언니 발 빠르네. 기분 나쁘게….

…비행기 값인가?

주지 마! 엿집 차려도 되겠다.

나의 인기를 시기하는구나.

웬 인기? 죽기 전에 타오르는 촛불의 마지막 발악이지!

지현아!

이왕 가져온 거니 먹어주마!

누가~! 내 거거든!

뜨끔

……

하나씩 집어. 같이 먹어야 효험 있다.

딱

…마음에 걸려.
재영 형 표정이
우울해 보였어.

선배들이
그러는데
시험을 앞두고
만감이
교차한다더라.

아무 생각 없는 사람,
엿을 보니 시험이구나
하는 사람, 그리고
재영 형처럼 우울한…
곧 우리들의
이야기다.

승주 형!
재영 형 고사장에
저도 갈게요.
제비뽑기 바꿔주세요.
꼭 가고 싶어요!

그럼 태림이,
유선이, 매희는
재영 형, 연훈 형들
쪽에 가는 걸로.

휘경 형 쪽에
내가 가지 뭐.
거기 선발대
누구였지?

저희요, 승주 오빠.
혜진이랑 지현이~!

자아~!
합격 떡입니다!
철썩 붙는 엿!
엿 사시오!
떡 사요!

내년 이맘 때면
내가 저 떡들을
받겠지….

제일
좋은 것으로
사드릴게요.

정말?

그럼요!
승주 오빠는
보증 수표니까요.
덩달아 제가 드린
엿의 공로도
오르고요!

혜진아!

…왜… 왜요,
승주 오빠…?

말투가 왜 그래?
정말 혜진이 맞아?

뭐… 뭐가요?
제가 무슨
잘못이라도….

지금 열차가
들어오고 있사오니
승객 여러분께서는
안전선 밖으로
물러서주시기
바랍니다.

내일
늦지 마!

응!

…난 네가
반말하는 게
더 좋아….

Episode.29

어휴~, 정말! 무식하게 그 많은 엿을 혼자 다 먹었단 말이야?!

안 먹으면 죽인다고 한 게 누구냐?

친구들이랑 나눠 먹으라 했지~!

으..., 속 쓰리다.

따뜻한 것 마시면 나아질 거야, 연훈 오빠.

그보다 더 좋은 약이 있긴 한데...

무슨 약? 빨리 말해. 사다줄게.

우리가 왜 왔는데...

정말?

Thank you God!

으흐

오빠아~!
죽을래~!

참아, 매희야!
특별한 오늘에
이보다 확실한
응원이 어딨냐?

날개다!
날개가 돋쳤어!

둥
실

저럴 수가!

둥실

오오~, 위대한
Power of Love
부럽다~~!!

와~, 즉효다!
다 나았어!
수석할 것 같아,
매희야!

언니,
참으세요!
시험 끝나고
따져요.

재영 형,
유선이 잠깐
빌려드려요?

뭐얏?!

실기는
내일이죠?

오늘로 충분해.
내일은 오지 마.

칫—! 오버한다~.
내일은 잘 거야!
모처럼 휴일이
될 텐데….

모레부터 실컷
노는 방학인데
너무 야박한 거
아니야?

어머!
현목 오빠!

오빠!

형! 어떻게
오셨어요?
연습 한창
이잖아요.

연습 빼기보다
도로 정체로
못 올 뻔했다.

첫 공연에
이렇게 찍혀도
돼요?

네 발등 불 끄고
찍힌 못 빼주러
오면 되잖아.

너무 많이
찍혀 있으면 나도 같이
못 박을지 모르죠.
베드로의 새벽처럼….

그래도 결국엔
천국의 열쇠를
맡게 되겠지.

기다릴게!
배신의 날은
빨리 지나가는 게
좋아.

들어갈게요!

파이팅!
휘경 형.

오빠! 잘해요!

시험 끝나고
계속 바쁜 때잖아요.
연말 PAX제 참가하고
일일찻집 행사까지 끝나야
JTA 정식 연례행사가
마무리 되죠.

이번 PAX제는
규모가 더 커졌어요.
24일 J·T 체육회관에서
단체 출전 Sing Out,
재영 형 PAX 그룹이
오프닝 맡았어요.

아, 그리고
재밌는 소식 하나!
혜진이가 분명 아직
말 안 했을 게 뻔하니까
제가….

지현아!

현목 오빠도
와서 보실 건데
뭘 그래, 얘!

혜진이가
개그 일기를
낭독하게 됐지
뭐예요, 글쎄~.

와~!
혜진이가?

오빠! 이건
내 의지가 아니라구!
뽑기 해서
걸린 거야!

다들 나 망하는 거
보려구 신난 거 있지!
개그를 어떻게 해,
내가~~~!!!

와…, 굉장하다!
이렇게 넓은 곳에
과연 사람들이
메꿔질 수 있을까?

흐응….
모르시는 말씀!
작년 PAX제 구경
못했었지, 너희들?
그 인파!
대단했지!

혜진이
이제 큰일 났다!
저 넓은 무대 위에
혼자 서야 하니!

야…, 안녕,
오랜만이다.

다른 JTA들이
몰려오기 시작했어.

소명 JTA야.
승주 오빠들
괴롭히더니
또 난리치겠군….

해담 미남들
어디 숨겨둔 거야?

오빠들 운영위
회의 중이여~.
무대 뒤로
가보셔.

아, 고마워.

점검해야 하니까
마이크 잡은 김에
가볍게 노래 하나 때리고
내려가라.

어이! 태준아,
소리 좀 맞춰보자.
베이스 맛이
수상해.

와앗! PAX다!
멋져!

PAX 파이팅!

대단해!
데뷔도 안 했는데
팬클럽 생기겠다,
야….

여자란 무얼까.
알 수 없는 건 그뿐이 아냐.

이렇듯
들뜨는 내 마음도
마찬가진걸.

하지만
나의 소원이란
그녀의
하얀 미소.

거리의 시선은
날 향해 있는 걸
느낄 수 있어.

사랑이라 말할 수 있는
그런 마음.

그녀가
이런 날 보면 무척
기뻐하게 될 거야.

오빠 눈 속에 혜진이가 들어 있어.
느낄 수 있어.
이건 정말 단 하나뿐인
이오공감이야.

중앙 JTA의
재즈 댄싱!
예~, 대단한
무대였습니다!

다음은… 와~!
이건 뭐, 계속
환상특급이군요!

소명 JTA의
판토마임으로
이어집니다!

어지간히
긴장했군….
실수 연발이야.

잔인한 관객들!
매너가 형편없어!
격려 박수 못 칠 망정
저렇게 미친 듯
웃을 수 있는 거니?

다음 피아노…, 다다음 해담 JT네? 유혜진… 댕기 머리 소녀?

아…, 잠깐 비울게! 너무 외로워 하지 마!

빨랑 오셔요, 자기!

혜진아! 파일 챙겼지? 잘 확인해. 다음다음 차례야.

넘어지더라도 박수 칠 테니까 떨지 말고~!

혜진아!

무슨 소리야? 제정신이니? 지금 와서 못하겠다니!

난 못해! 못한단 말이야!

바보! 너 아님
누가 한단 말이야?
리허설까지
잘해놓고 뭘 떨어?
어서 일어나!

제발 살려줘!
네가 대신 해라.
응? 유선아~.
엉엉엉~.

글쎄, 안심해.
해담 JTA에게
무대 공포란…

…없…다….

파르르르르르…

혜진아…, 너…
정말 심각하게
떨고 있잖아.

어!
여기들 있네요!
승주 형!

뭐 하는 거야? 대기하고 있지 않고….

무대 공포증! 정점에 달해 있습니다요.

왜 그래? 어디 아프니? 혜진아!

혜진이 심각해요! 쓰러지겠어.

승주 오빠! 나… 자신이 없어! 서 있기도 힘들어. 다리가 후들….

긴장할 거 없어. 다 우리 식군데 뭐. 마음으로 안 된다 생각하니까 초조하지.

심호흡하고 진정해. 진행부 쪽에 순서 바꾸도록 할 테니까. 할 수 있다는 생각만 하는 거야. 알았지?

승주 오빠~, 나… 정말 안 하면 안 돼? 아무리 시간을 줘도 안 될 것 같아!!

오빠 손은 약손! 자!

뭐… 뭐 하는 건데…?

앞 사람 실수 때문에 흔들릴 것 같더라니… 그래서 이 오빠가 챙기러 온 거 아니냐!

자… 준비…

…뭐야… …이… …이 폼은

이얍! 기를 받아랏! 천하무적 공포 천사!

파샤!

파샤!

아쟈! 아쟈! me, too!

모두들 뭐야! 심각해 죽겠는데 장난이라니~!

이제 됐다!

긴장 푸는 데 웃음이 최고!

오~, 역시 심오한 우리들의 선장님!

소리 지르는 거 보니까 제정신 드는 것 같구나.

뭐가…, 언제 정신 나갔었대?

자! 빨리 들어갑시다. 피아노 연주 끝나겠어요.

어…, 태준 형.

뭐 하는 거야?

승주 형이 긴장한 혜진이 달래고 있어요.

그대로 진행해도 괜찮겠어?

응…. 마음 편해졌어. 오빠 덕에.

고마워…. 오빠.

기분 좋은데.

오빠 손은 약손! 맞지?

에이~. 할아버지 같아!

혜진이 잘하더라! 그렇게 잘해낼 걸 엄살 피웠던 거야? 욕심 부린 거지?

제정신으로 했겠어요? 아직도 다리가 떨리는데. 후아~.

저와 승주 형 기(氣)가 살렸죠, 뭐ㅡ.

근데 얘네들 어디 간 거야? 승주, 태준이…

소명 JTA 친구들한테 붙들렸어요.

일일찻집 같이 해요! 우린 만장일치 봤어요.

그건 좀… 장소가 좁아서 곤란한데요.

티켓 팔아준 것 고마워요. 그럼 그날 봅시다. 잘들 가요.

같이 가요! 지하철까지 방향 같은데.

휴~ 드디어 안녕!

아…, 난 일행들 표를 끊어야 해요. 태준이랑 같이 와요. 그럼 실례!

Bye! Bye!

야! 승주, 너!

승주야! 애쓴다.
행사 때마다
팬들 넘쳐 고생이니
사랑받는 죄라고
해야 하나~. 쯧….

태준이가 더 불쌍해.
아직도 붙들려 있잖아.
하하하~.

감동했어요.
어쩜 그렇게
노래를 잘해요?
데뷔하세요!

아무나
가수 해요?
하하~.

콘서트
한번 해요!
히트 칠 거야.

난리 났네,
쯧….

태준 오빠…
아까 노래 이후 한 번도
가까이 오지 않는다.

마음이 확실해질수록
다가서는 것이 어려워.
오빠 눈 속에
내가 크게 보일수록
더욱 그래….

야야…, 멋지다! 운치 있어!

도시 속에도 동화는 존재한다!

네온과 자동차 불빛과 흩날리는 하얀 보석들! 별가루 같아!

어른들이 추억하는 전원의 풍요와 여유는 못 되더라도 오늘 같은 밤은 유년의 동화로 남기 충분해!

어린 왕자와 함께 있으니 자체가 동화란 말씀이죠!

어린 왕자가 JTA 회장 되면 볼 만하겠다.

그거 확실한 거예요?

미리 말해주면 안 되지만, 1학년 남자들 중 단연 돋보이는 후보!

아이고~~~!
간지럽게 왜 또
그러시나요,
누님~!

왜 남자들
중에서요?

역대 JTA 살림살이도
언니들 공이 더 컸는데
어째서 남자라는 이유로
회장입니까?

승주가
그렇게 마음에
안 들었어?

승주 오빠가
어쨌다는 게
아니에요.
에휴~.

성별 제한 따윈
당연히~ 없어!
유선이 한번
띄워주랴?
떠볼래?

유선이를 누나 혼자
어떻게 띄워요?
허리 부러져요!!
겁나 무거운데.

너!

에그머니나!!

잘했다!
또 던져! 또!
유혜진!

와앗! 실수! 실수!
미안해, 태림아!
표적이 빗나갔어!

꺄악!
잘못했다니까!
살려줘~!

이얏!

이 녀석들아!
장난 그만 치고
빨리들 와!
다들 들어갔어.

삐리리리삐리리리리

다
다
다
다

기다려!

혜진아!
빨리 빨리!

일단 타고
앞 칸으로 와!

악~! 문~~ 닫히겠다!

세이프!

태준 오빠….

와…, 간신히 풀려났다.

승주, 이 의리 없는 녀석! 날 볼모로 던지고 빠져 나갔어!

혜진이, 장난치다 지하철 놓칠 뻔했지? 태림이 녀석 날쌔던데. 눈싸움 한번 붙어야겠어.

…봤어요?

몰랐어? 어디 있어도 다 보이는 거….

Episode.30

여덟, 아홉, 열….
누가 빠진 거야?
두 녀석 누구야?
태준이 안 탔니?
혜진이랑….

태준 오빠
소명 JTA한테
붙들려 있는 거
아냐? 아직도?

확실해?

혜진이
뛰는 건 봤어.
탔을걸요?

흩어지지
말고들 있어.
찾아올게.

앞 칸으로
오라 했는데
못 탔나?

오빠도
눈싸움 했어요?
머리에 눈…
남아 있어요.

응? 털었는데….
눈의 요정들이
헤어지기 섭했나?
…이제 됐어?

아니, 좀 더
옆쪽에.

여기?

아니,
더 위에.

여기?

312 · Jump Tree A⁺ 2권

어서 오시와요~!!!

죄송합니다.
율무는 재료가 떨어져서
안 되거든요.
잠시 기다리시겠습니까?
아니면 다른 차를
드릴까요?

그럼 칡차랑
쌍화차 주세요.

Hey, Yo~!!
선우태림!
앞치마가
잘 어울리는데.

와~!
형님들
오셨군요!

아가들은
다 어데 갔냐?
너밖에 없어?

승주 오빠, 좀 더 있다 가셔요. 우리가 왜 왔겠어요? 오빠 얼굴 보러 왔지.

비싼 티켓을 열 장이나 샀다는 거 아닙니까, 수경 씨!

보시다시피 인기인은 몸(?)으로 서빙하고, 준 인기인은 홀 서빙. 비 인기인은 주방~ 마지막 계급은…

버린 자식들로 바깥 심부름을 하고 있습죠.

그리고, 이 방은 명예회원 VIP실, 선배님들을 특급으로 모시는 곳이에요!

말이 좋아 특별실이지~ 경로당 늙은이 취급 아니여? 고얀 것들!

서풍 J·T·A특별실

잘못 온 것 같다. 여긴 합격자들만 들어오는 곳 아냐? 떨어진 놈은 나밖에 없군….

네 실수야. 연인의 입맞춤 거절했잖아! 짜샤~.

특제 차!
널 위해 주문도 안 받고
특별히 만들었다는 거
아니냐!

쏴
리리리....

마시면서 좀 쉬어!
수경이 봐라.
적당히 손님과
노닥거리기도
하잖아?

고마워용♡

걔 보려고
티켓 산 애들 많다.
얼굴 값 하는 거야.
미모 딸리면 노동으로
채워야지 뭐~.
별수 있냐?

어휴~, 저거
말하는 것 봐.
그러는 넌!

알아서 주방
들어왔잖아.
동지끼리
왜 그래~?

유선아!
맛있어, 이거!
정말 특제야!

후
아...

오빠!
따뜻한 것
한 잔 드시고
나가셔요.

정말… 죄송해요!
꼬맹이들 심부름
도맡아 해주시는데
너무 무심했네요!
뭐 드실래요,
태준 오빠?

이거
맛있는데
같은 걸로
드려요?

Thanks!

아…, 오빠!
그거 내가….

으음…,
맛 좋은데….

태준 오빠
이상한 취미
있는 줄 몰랐네.
남이 마시던
것을….

아…,
이거…
그랬어?

혜진이
어느 쪽으로
마셨는데?

혜진이
컵 돌려가며
마시는 버릇,
아는 사람은
다 알지.

그럼 제대로
마신 거네?
아쉬울 뻔했어.
이왕 마신 건데.

태준 오빠,
너무 노골적인
거아냐?

야! 별것도
아닌 것 같고
따지냐?

너, 태림이나
휘경 오빠들이랑
오뎅 국물 마실 때
같은 곳 쪽쪽대며
장난친 건 뭐야?

분위기가 그거랑은
다르다고
생각하는데…
안 그래,
태준 오빠?

이지현!

아무거나
잘 먹어요,
그렇게?

혜진이 거니까!

태준 오빠….

또 부탁할 건?
두 번 걸음 않게
다른 것도 좀
살펴봐.

아… 아뇨.
그거면 됐어요.
다른 재료
충분해!

다녀올게,
그럼….

예~, 수고해주세요!
오라버니~!!!

정원 언니….

커피 둘,
율무 하나….

정말~
도둑 고양이 같아!
인기척도 없이
뭐 하는 거야?
괜히 간이 철렁
내려앉네!

대단하다.
농담을 진담으로
받아쳤어.

태준 오빠
정말 진지해!!!
혜진아~!!!
어떡하냐?!

뭘 어떡해?
대체 무슨 소릴
하고 있어?
이지현!

더구나 정원 언니.
어디서부터 듣고
있었던 서지?

그게 무슨
상관이야?

그럼 지금
네 행동은 뭐야?
정원 언니 보고
왜 놀라?

기본적인 매너조차 음흉해서 소름끼쳐 하는 거다. 왜!

넌 몰라! 정원 언니 절대 만만치 않아!

그만해…

…….

…….

관두자!

혜진아…

물론 잊지 않고 있어,
태준 오빠 바로 볼 수 없는 이유.

정원 언니…,
태준 오빠에게 얼만큼
커다란 사람이야?
가늠할 수 없는 만큼 커?
그래서…
태준 오빠 눈 속에 내가 보여도
확신이 서지 않는 거야…?

와…, 그만
일어나야겠어요.
다들 일하는데
너무 쉬었다.

한가해지면
또 오세요!

손님 접대하는 게
뭐 노는 건가요?

수경아,
카운터 교대할 시간
되지 않았니?

예—!
지금 갈게요!

고마워요!
오빠가 구했어요!
저 사람들 정말~
찰거머리 같아!
일어날 구실을
찾을 수 없어서.
후아아….

하하하—.
고문 당하고
있는 것 같더라.
나도 곤란했거든!
상부상조!

주방 친구들과 교대해야겠어요. 제일 고생하고 있는 곳인데….

와….

…왜요, 승주 오빠?

감동하는 중이야.

오빠~~~.

뭡니까, 이거? 손님들 안 모시고 노는 인기인들!!!

시아버지! 진정하시어요. 일터로 가는 중이어요.

아이고~, 그래! 요 귀여운 것! 효효효~.

무슨 짓이야!

이거 놓지 못해!

무슨 짓이라니? 불손하기 짝이 없군! 생각해서 간단한 보상 받으려 했는데, 정식 절차 밟을까?

와—, 톡톡 튀는데?

내 마음 풀릴 때까지 옆에서 애교 떨면 클리닝도 필요 없고, 옷을 하나 사줄 수도 있다는 말.

꺄아악—!

뭐야, 저 자식들!

정원아!

무슨 일이야?

휘경 형! 재영 형!

하아…, 하아…,
밖에…
빨리…

무슨 짓입니까?
그 손 놓으십시오!
손님들!

아아쭈~!
이것들이 떼로
몰려왔어?

B

법대로 해!
법대로~!!!! !!
이년이 뭔 짓을
했는지.

말로 해요!

경찰 불러!

어린 것들이
정말 혼 좀 나야겠군!
일일찻집 하나 해서
도와줬더니.

좀 비켜
주겠어요?!

잠깐 실례….

아, 태준이
였구나!

재영 형….

뭐야, 자식들!
다 와봐, 다!
또 올 놈 없냐?
엉?

어서 주인 오라
그래…, 어?

뭐야…,
댁이 쥔이슈?

웬 미친놈인가 했더니,
한봉팔
너희들이었냐?

어…,
너희들은…!

꺼져!

두고 보자!

기억해주마.

오늘 일일찻집을
무사히 마치게 된 것은
여러분 모두가 열심히
해주었기 때문입니다.

올해의 마지막
JTA 행사였던 만큼
최선을 다했다고
생각해요.

자! 그럼,
즐거운 쫑파티
시작합니다~.
모두 잔을!

러브 샷!

마셔! 마셔!
러브 샷!
단숨에 마시는 거다!
러블리 유선~!

핫 커피다!
입 천장 홀랑
까진다고~,
짜샤~!

1학년은 쉬어라.
마지막에 선배들이
서빙하는 게 JTA
전통이니까
뭐든 주문하시고.

정말 좋은
전통이야!

JumP Tree A⁺

Episode.31

주목!
오늘의 하이라이트,
기억들
하실 테죠~?!

악!

드디어!

급기야!

지금부터 30분간
야자 타임이
있겠습니다~!!!

와 와

휘경이 녀석이
안 보이네?
찾아올게.
험~!

야! 손연훈!
자리에 앉아 있어!

그래! 그래!
연훈아, 형아들이
찾아올 테니까
넌 그냥 놀아!

이 녀석들!
으윽―

와하하하

연훈이 표정
왜 저러니?

형님 말씀
거슬려?

아니어요.
별 말씀을….
흐흐흐~.

승주는 또
어디 가냐?
슬그머니~.

주방에
음식 가지러
가요~!

내가 갈게.

어허! 태준이는 노래 해야지! 태준이 재롱이 보고 싶단다, 형님들은~.

혜진이 어디 갔냐? 이 재밌는 시간에.

전화한다고 가더니 아직 안 왔네.

엄마 걱정하실까 봐 전화드렸어요. 응…. 오빠들이 데려다줄 거야. 많이 늦지 않을게요. 응~.

알았어, 끊을게요.

달칵!

경아한테 한 번 혼난 것들이잖아. 여름에….

그리고 또! 한심한 놈들! 아직도 그 지경 이라니….

...경아는 그 후로 연락 없는 거야?

응....

멋진 여자였어! 게다가 이어지는 여신의 가호라니~. 귀여운 뮤즈여신! 복도 많아~, 새끼!

쓸데없는 소리!

휘경아! 재영아! 너희들 들어오래, 빨리!

으잉°...

이 녀석, 넌 죽었다!

아아악~! 왜 그래! 야자 타임이란 말이야!

마—! 타임 외친 방에서만 유효한 거 잊었어?

살려줘~, 휘경 오빠!

왜 밖에 있어요?

너, 안에 있지 않았어?

집에 전화 좀 하고 왔어요. 카운터 전화 매희 언니가 쓰고 있어서…

그 녀석 한번 전화 잡으면 기본 30분인 거 고쳐야 할 텐데.

합격 축하한다. 민휘경!

……

자! 악수!

울 오빠가
전해달래요.
합격 축하 전언과
악수해주랬어요.
될 줄 알았대요.

제 생각도
그렇구요.

고맙다고
전해줘.

빨리 들어가자,
휘경아! 지현이가
들어오랬잖아!

…너!

올해부터 바뀌었네!
장소 상관없이 유효!
야자 타임 가능하네!

현목이 형
말씀...
정말일까.

너희들 정원이
못 봤니?

아까 놀란 거
진정시키느라
귀빈실에
쉬러 갔잖아요.

그러게….
파티 시작 때도
같이 있었는데
말 없이 가진
않았겠지?

태준 오빠,
얼음 있으면
부탁해요!

옛 썰~!

달칵!

…손, 어떻게 된 거야?

아까 다쳤어. 웃긴 소동이 있었거든…

……

사실은…,

JTA 이름 하나만으로도 이유 불문하고 달려갔어야 하는 일이었다.

다 보고 있었어. 그런데…,

망설였어.

그게… 마음에 걸렸다는 말을 하고 싶었어.

미안하다는 건 아닐 테지…. 그런 말을 굳이 할 이유 없으니까.

애들이
널 찾고 있어.
개인행동은
그만해.

넌… 정말
나쁜 자식이야.
…끝까지
잔인해.

대체
얼만큼 괴롭히고
끝내려는 거지?

도망치치 마!

이기주의자!

난… 정말 네가…
알아듣길 바랐어.

이젠
구겨질 대로
다 구겨져
버렸어!

마지막
감추고 싶은
자존심까지
내던지게 했어!

결국, 다…
보고야 마는구나.
정말 대단해,
오태준….

한때는 세상 가장
상냥한 인사를
해주던 너였어.
이젠 평범한 예의도
갖추지 않는 친구인데…
나의 심장은 여전히
너로 인해 뛰고 있어.

구걸이라니…,
돌아버릴 일이지.
상상도 못했어.
너의 프러포즈를
거절하며 지켰던
자존심인데.

괜찮을 거라고,
다시 시작하자고.
예전처럼
좋아질 거라고.
하지만 난…
괜찮지 않았어.

아니,
더 괴로웠어!
동정은
싫으니까!

언제나 나를 위해서,
내가 원해서라고 했어.
네 자신의 의지는
들어 있지 않음을
강조했지.

사실이 그랬다 해도
난 기다렸어.
내가 회복할 때까지….
네가 나보다 더 내게
완벽히 열중하게 되면
널 버릴 생각이었지.

넌…
다 알고 있었어.
말로는 그랬지만,
난… 있는 힘을 다해
내 마음을 되찾으려
애쓰고 있었어.

그것이 아니면
차라리 떠나는 게
좋았어!
그랬더라면…
이처럼 비참한 날은
없었을 테니까.

…단지
시간이 필요했는데
네가 다
망쳐놓았어!

끝을 앞둔
마지막 기회처럼
절박한 것은 없어….
그래서 동정이어도
좋다고 생각했어.

그 전 상태로
좋았어…라고,
그저 있어주면 좋겠다,
어떤 형태로든 내가
담담해질 때까지만
하면서….

그래… 얼마 동안은
그렇게 믿었다.
상처 입었기 때문이라고,
어렵지만 가능한 한
너의 마음을 헤아려
보자고….

하지만, 감당하기엔
넌 너무 변화가 많았어.
네가 진정으로 나를
거부한다는 생각이 들자
곁에 서 있을 명분도
흐려져갔지.

어쩌면
널 헤아린다는 것이
착각일지 모르니,
네 마지막 안녕을
받는 게 최선일 수
있다고 결론지었어.

어쩌면이라고 했지만
사실은 지쳤던 것이겠지….
그래서 아닌 쪽으로
마음을 치닫게 했겠지.
한번 가속도가 붙자
걷잡을 수 없이 흘러갔다.

더 이상 네가
안 보이는 곳까지,
네가 부르기 전에
도망쳐야
했으니까!!

뛰면서
네가 두려웠어!
다신 돌아보고
싶지 않았어!

이젠
너무 늦었어.
난 너에게 아무것도
해줄 수가
없어.

그저… 소동 때
기본적인 인간애를
지키지 못한 것을
…사과하고 싶다.
이게 최선이야.

휘경 형!

오빠!

오빠!

그만해요!

그러지 마!

때리지 마!

태준 오빠
때리지 마!

혜진아!

휘경, 넌
나중에 올래?

아…

연훈이가
조수석에 타라.

오빠….

어서 가.

부탁한다!

이쪽 염려는
놓으시고…,
주먹 씨~.

옆으로 새면
가만 안 둬!

태준 오빠,
괜찮아요?

저희가
도울 일 없어요?
태준 형…

미안해….
파티가 끝나버려서
어쩌지…?

그렇잖아도
끝무렵
이었는걸요,
뭐…

Episode.32

태준아!

너희들도 많이 놀랐지?

휘경 오빠는….

승주 오빠!

다 끝났어. 아…, 유선이는 태림이랑 홀 정리 좀 도와줄래?

맡겨두십쇼!

괜찮아?

응…. 견딜 만해. 휘경 형, 역시 세. 하하….

부축이
필요한 정도가
뭘 괜찮아?

형편없구나,
오태준….

하아…,
그러게….

혜진아,
이리 와.

……

내 최고의 초록빛 친구.

그리고—

내 단 하나의 핑크빛 공감.

모든 것이 외면하여도
서로의 용서를
구할 수 있는 우리는
얼마나 행운인가.

너희들을 사랑한다….

정말 사랑한다….

그렇게 구겨진 얼굴로 안녕 하면 돌아가는 발길에 도움이 될 거라 생각하냐?

잘 가.

나… 웃을 기분 아냐.

이건 뭐… 완전히 불구경하다 옮겨 붙은 꼴이네.

정말 이해할 수 없어!

왜 우리가 티격대냐고.

그게 주먹 휘두를 만큼의 일이었어? 게다가 남자들끼리 대수롭지 않다고? 말로 하면 안 돼?

여자들은 모르는 남자들만의 방식이 있어.

무식하군! 원시적이야!

태준이 형을 때린 건 사건의 종결을 위해서야.

그동안의 태준 형에 대한 이해와 용서를 휘경 형의 언어로 표현한 거라면 설명이 되겠니?

몰라!

뭐~ 결론은
정원 누나, 태준 형
둘 다 자유롭게
해주었다는 거지.

웃기네!
휘경 오빠가
뭔데? 왜?

그건, 혜진이가
열쇠야! 천사거든!
물론 유선이도
포함해서~!

뭔 소리야?
횡설수설~
계속.

지유선, 만약 내가
아까처럼 맞는다면
혜진이처럼 달려들어
소리쳐줄 수 있어?
모두 보는 앞에서….

인마! 멍청하게
맞긴 왜 맞냐?
그걸 가만 냅둬?

하
하
하

역시ㅡ.

정말 히트다!
유혜진!
Nice girl!

바쁜데
자리 비워도 되냐?
전화주면 내가
나가든지 했지!
혜진이를 시키든가….

혜진이
벌써 들어와
있어요?

그 녀석 지금
심각하단다.
모른 척하렴.

뭐에 또
부었는지….
한번 입 다물면
황소 아니냐.
고집쟁이!

…….

혜진이
잠들었니?

혜진아…．

뚝 뚝…?

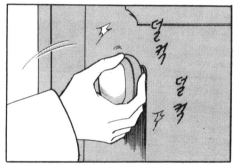

덜컥
덜컥

……．

달각

혜진이 못된 아이야.
사람들 모두가
알았을 거야, 오빠.
…혜진이 정말
나쁜 아이야!

어떡하지?
나 이제 정말
얼굴을 들 수
없어…

좀 두터운
코트를 입어.

……

오빠랑 오랜만에
데이트 안 할래?

나…
자고 갈까?

정원아.

…됐어.
매희야,
나 괜찮아.

정말 이상하지?
거짓말처럼 편해.
그 상황은 부끄럽고
죽을 것 같았는데
지금 마음은 아주
평온한걸.

더 이상 내던질
돌이 없어서일까,
속이 후련해.
속박에서 벗어난
느낌이야.

그래….
모든 건 마음의 줄로
묶이는 거니까….
조금은 알겠어,
네 기분.

하하…, 우스워.
인간은 참~
간사한 존재야.
지금 내 모습
아까랑 이어지니?
하하….

모두 태웠다지만
열기는 남아 있어.
좀 더 식어야 해.

억지 말고
자연스럽게.

…그 아이
마음도 많이
아팠을 거야.

대단하다, 너.
태준이 마음
헤아리니?

혜진이….

…….

다치게 할 생각
아니었는데
파편이
날아갔어….

정말 놀랐다.
그렇게 소리칠 수
있는 용기라니,
부러워….

너무…
예뻤어,
그 아이….

계속
노래만 불렀다.
승주 오빠, 태준 오빠,
나… 바보같이
노래만 했어.

오빠들이
집 앞에까지
데려다주고 갈 때
안녕 한 것 빼면
서로 아무 말
안 했어.

누구든
새 노래를
먼저 시작하면
따라 불렀지….

방에 들어오자
온몸이 떨려왔어.
커다란 범죄를 짓고
운 좋게 도망쳐 온
사람 같았어.

그 후로 계속
눈물이…
멈추질 않아.

완전히
퍼져 계시네.

와~!
놀고 먹느라
살찐 것 좀 봐!

뭐야, 품위 없게.
여전히 떼거지로
몰려다니고.

불쌍한 떨거지 하나
주워주러 왔다,
이 웬수야!

아하하~!
그만해.
간지러워!

죽지 않고
살아 있었네.

생각보다
쌩쌩하잖아,
너무 너무!

야…,
꼬까옷 버리면
엄마한테 혼난다.

유혜진, 언제까지
앉아 있을 거야?
정말 옷 버리겠다.
일어나.

아….

어…떻게…
다들…

선배를 봤으면
인사 먼저 하는 게
기본 예의 아닌가?
군기가 빠졌구나.

휘경 형~,
제가 부덕한
탓이옵니다!
용서하시와요!
흑흑…

군기
빠진 녀석
또 있는데.

숨어 있지 말고
나오시지.

뭐야…,
뭔가 당한 느낌이
드는데?

복병으로 숨어 있으라 해놓고 씌우기야?

자진 연출 아니었던가? 역시 스타야! 오 내숭!

아니, 치고받고 싸울 것을 왜 말로 주고받아요? 싸워요! 싸워!

또 까분다, 짜…식.

태준 오빠….

Episode.33

이런…, 전혀
외출할 준비가
안 돼 있네?
어떻게 된 거야?

…예?
무슨….

너무 엉성하구나.
유헌목 팬클럽
회장하겠다고
나설 때부터
위태롭다 했지만.

그러게
혈연 관계는
공적인 일에선
제외시켜야
한다는 거지.

운영 위원회 힘으로
추방해야겠구만.
널 추방하노라!
어용 회장 유혜진!

…공연 보러
모인 거예요?
모두들?

그렇다면
이왕 한 거,
사실 난…
혜진이가
목적이었어.

우와… 우‥ 우‥우‥
우… 와… 우
와우
우‥우

배신자!

나 예뻐?

배신자는
싫어!

우와!

Nice girl!

유혜진 욕심일 뿐이지.
의리라고 착각하지 마.
작은 여우니까!
여자들은 모두 다~
그렇고 그런 거다.

짜자아아잔~!

여러분을 모실 승합차라네~.

지하철이 역시 나아. 정확한 시간에 도착할 거고….

그냥
응.

직행 좌석버스도 있어요.

아니면 걸어서 회관까지….

뭐야, 짜식들! 사촌 형 가게 청소 몸으로 때우고 빌려 온 차인데….

죽을래? 탈래?

타요! 탑니다!

후다다닥…

혜진이 옷 갈아입어야 해. 늦을 것 같으면 오빠 먼저….

0.1초 내로 다녀온다!

아하하하하! 재영 오빠 정말 귀여워!

오늘을 위해 시내 연수 엄청 했다는 거 아니냐.

광화문 갔다 오는데
4시간 걸렸댄다.
차선을 못 바꿔서
인천까지 갔다 왔대!
와하하하하핫—!

혜진아,
너도 유서 써라.
우린 벌써 다
썼단다.

아 하 하

하 하 하 …

하 …

많이
힘들었지?

조금…

계집애,
아무리 그래도
전화도 안 하냐?
목 빠지는 줄
알았다.

미안해.

역시 승주 오빠야!
오늘도 휘경 형
옆구리 찔러
태준 오빠 부르고
연결 연결 여기까지
온 거야.

비가 오면
멈추지 않을 것 같고,

잠이 들면 깨어나지
못할 것 같고,

헤어지면
못 만날 것 같고….

오빠가
보고 싶었다는 말조차
난 할 수 없어.

입 밖으로 내면
꿈처럼 사라질까
봐.

좋아한다는 말을
결코 들려주지
못할 거야.

사랑하는 이유,
그것은…
인생을 단편으로
승부해보고 싶은
마음 때문이다.

대상은 하나!
그래서 온 힘을 다해
점령하려 한다.
상대 역시 그대와 같음을
깨닫지 못한 채….

그대가
자유를 베풀었을 때
그대 자신 또한
진정 자유로울 수 있는
진리를 만나게 된다.

진리라는
시간의 약을 얻기 위해
고통의 시간을
살아야 한다.

모든 것에서
욕심을 버렸을 때
가슴이 채워지고
두 손 가득 희망을
얻게 될 것이다.

희망은
꿈을 잃지 않은
자들만이
가질 수 있다.

월간 연극입니다! 유현목 씨 인터뷰 하고 싶은데요.

사진 촬영만 먼저 합시다!

잡지 인터뷰는 예약돼 있었던 거예요!

기다려주세요. 분장 지우고 잠시 후 모든 인터뷰에 응해드리겠습니다. 감사합니다.

와아…

오빠, 스타 됐군요! 분장실 들어오기도 힘드네요.

준희 언니 없었으면 그냥 쫓겨날 뻔했지 뭐예요.

크흑흑

형님!

현목이 형!

축하드려요!

따다다다닥

멋진
성공입니다!

이제 얼굴 보기
힘들어지는 거
아닌가~?

정말이야.
밖에 소녀 팬들
언제 생긴 거야?
난리 났더라.

어땠어?

좋았어요!
그냥 뿅~
갔다는 거
아닙니까!

평소 형의
얘기 듣는
기분이었어요.

그랬어?

현목 씨!!!
빨리 나와야겠어.
밖에 난리야.

곧 나가요.

노련해서
신인같지 않아요.
사람들 애태우기
너무 능란하잖아.

괜히
왕자병일까!

하하

하 하 하...

잠깐 기다려.
화장 지우고.

혜진이,
이리 좀
들어올래?

분장실

다시
햇님 보기로 했어?
꼬마 아가씨.

응…．

잘했구나….

자랑스럽다,
혜진이.

보고 싶었어,
오빠

우린 미완이기에
아름답고
희망이 넘친다.

삶을 채워온 시간보다
배우고 채워갈 시간이 많은
우리의 젊은 날들.

나의 고교시절 1년은
그렇게 끝나고 있었다….

2학년이란 숫자는
대입 문제를
한발 더 앞당겨주었다.
나날이 커지는 긴장감,
3학년에 이르면 심장이
폭발하지 않을까 싶었다.

까아!
태림 오빠!

멋진 태림 오빠!

하하

귀여운 것들…

태림이 형,
안녕하셔요!

못 봐주겠네.
오빠라는 말에
깜빡
죽는다니까.

와아 하하

아하하

하하하

군기를
잡는 게 아니라
잡히고 있는 줄
모르고 말이야.

JTA 5, 6대로서
첫 공식 모임인
신입생 환영회에
참석해주신 선배님들께
진심으로 감사드립니다.

엄 숙… …고요……

작년 생각이 나는군요.
저희 신입생 환영회도
오늘처럼 엄숙했습니다.
잘 놀다가 회의 시간이면
석고들이 됐는데….

5, 6대부터
함께 타개해
나가봅시다!

좋아요!

옳소!

숨 막히는 건
싫어!

그럼, 1부 마지막으로
JTA 4대 어버이셨던
김승주, 전매희 선배님
말씀을 듣겠습니다.
환영합니다~!!!!

짝
짝
짝

짝
짝

기분이 묘하군요.
패기 넘치는
신입생들을 만나니
신세대 불꽃 앞에 시든
구세대가 된
기분입니다.

저희가 앉았던 자리에
여러분이 앉아 있고
선배들 계셨던 자리에
서 보니 알겠군요.
여러분들 정말
사랑스러워요.

고로… 나도
사랑스러운 때가
있었다는 말인가?

하하 하 하하

특별히 긴 말
필요 없다 생각해요.
언제든 여러분과
대화할 가슴 열어놓고
있습니다. 모두….

현역처럼 몸으로
뛸 수는 없겠지만
JTA를 사랑하는 마음은
변함없으니까!
열심히 해주십시오.
JTA는 이제
여러분의 것입니다!

매희야….

아마도 이렇게 살아가는 것이
인생이겠지….
매번 새롭게 맞이하는
시작과 마침들….

우리의 키 자람은 계속될 거야.
후배들에게 자리를 내어주며
자신의 성장을
확인해가는 거야.

새침 떠는 지현 주니어, 내숭 떠는 수경 주니어.

내 모습이 저렇게 흉했다는 말인가…?

어이, 지유선! 사돈 남 말할 때가 아닌데?

뭐가?

선배님을 보니 희망이 넘치네요!!! 앞으로 잘지내요. 쌍방울 자매도 좋아요!!!! 싸랑해요~!!

으응?

하하하—. 완전 국화빵! 으하하하!

웃지 마! 난 저 녀석보다 15kg이나 적게 나간다고.

너희들 거기서 뭐 하는 거야? 신입생 접대 할미가 하리?

죄송해요. 들어갈게요.

할머니가
맞아주셔야
저희들 몫도
있지요.

재영 오빠!
휘경 오빠!
연훈 오빠!

나도 왔어!

정원아!

정원 언니!

오빠들,
들어가요.
나도 도울게.

어디 꼬맹이들
얼굴 좀 볼까?

저희가 할게요.
들어가세요,
언니!

너를 꼭
보고 싶었어,
혜진아…

정원 언니…

한번
안아도 돼?

그런 거
물어보는 거
아니에요.
그냥 안아주는
거예요.

오빠···.

혜진아,
할 일이 생겼어.
따라와.

응.

오빠~~!
왜 따라해~!
정말 싫어!
으아아ㅡ!

조심해!

주먹질 아무한테나
하는 거 아니야.
상대에 따라 특별한
언어로 쓰일 수도
있으니까…

……

혜진아….

고마워, 오빠….

야…,
그림 좋다.

의남매 분위기
아니었으면
끝장날 뻔했어,
두 사람.

모처럼
분위기 잡혔는데
초 치는구나,
오태준.

김승주,
페어플레이
하자고 했지.
자꾸 반칙할래?

히든은
마지막에!
막판 뒤집기
몰랐어?

시간의 약을 믿기엔
너무 어렸다고 생각된다.
하지만 무엇보다
내게는 상황이 좋았다.

당시 사건들이
훗날 추억의 이름으로
남게 된 것은
주변의 애정어린 시선을
모을 수 있었던
나의 행운….

아하하 하

하하 하…

첫사랑 태준 오빠,

그리고…

긴 시간이 흐른 뒤까지
지켜봐준
승주 오빠와의
많은 이야기들이
남겨진 것까지도….

- 『Jump Tree A⁺』 마침 -

JumP
Tree A+

LEE EUN HYE SPECIAL EDITION

Jump Tree A$^+$ 2

2024년 5월 25일 초판 1쇄 발행

저자 이은혜

발행인 정동훈
편집인 여영아
편집책임 최유성
편집 양정희 김지용 김혜정 조은별
디자인 디자인플러스

발행처 (주)학산문화사
등록 1995년 7월 1일
등록번호 제3-632호
주소 서울특별시 동작구 상도로 282 학산빌딩
편집부 02-828-8988, 8836
마케팅 02-828-8986

KOMCA 승인필

ISBN 979-11-411-3204-0 (07650)
ISBN 979-11-411-3202-6 (세트)

값 16,500원